내 사업을 지켜주는

핵심
부정경쟁방지법

내 사업을 지켜주는
핵심 부정경쟁방지법

2021년 4월 21일 초판 인쇄
2021년 4월 28일 초판 발행

지 은 이 | 박상오
발 행 인 | 이희태
발 행 처 | 삼일인포마인
등록번호 | 1995. 6. 26. 제3-633호
주　　소 | 서울특별시 용산구 한강대로 273 용산빌딩 4층
전　　화 | (02)3489-3100
팩　　스 | (02)3489-3141
정　　가 | 17,000원

ISBN　978-89-5942-989-9　93320

시커먼 속내를 가진 Black Sheep의
부정경쟁행위, 영업비밀 침해로부터

내 사업을 지켜주는

핵심
부정경쟁방지법

박상오 지음

SAMIL | 삼일인포마인

머리말

　시장에서 경쟁(competition)은 필수불가결하다. 사업을 영위하는 입장에서 경쟁자의 존재가 결코 반가울 수는 없겠지만, 선의의 경쟁은 좋은 자극제가 되기도 하고 더 나은 사업구조, 아이템으로 이끄는 원동력이 되기도 한다. 상품 또는 서비스를 하나의 업체가 독점(monopoly) 또는 몇 개의 업체가 과점(oligopoly)하고 있는 것은 시장이나 소비자의 관점에서도 결코 좋은 일이 아니다. 하지만 이는 어디까지나 서로를 존중할 수 있고 결과에 승복할 수 있는, 즉 선의의 경쟁을 할 때의 이야기이다.

　당연한 사실이지만 당신의 경쟁자가 항상 공정한 승부를 원하는 것은 아니다. 적지 않은 경쟁자가 당신의 사업을 방해하고 그 이익을 자신의 것으로 만들기 위하여 공정하지 않은 수단까지도 얼마든지 사용할 각오가 되어 있다. 또한 당신이 수많은 시행착오를 거치고 많은 노력과 비용을 들여 겨우 궤도에 올려놓은 사업구조·제품 등을 그대로 따라함으로써, 당신의 노력으로 만들어 낸 결과만을 손쉽게 빼앗아가려는 경쟁자들도 언제든지 나타날 수 있다. 여기에는 거창한 이유가 있는 것은 아니다. 단지 사업의 성공을 위해 많은 고민 끝에 혁신적인 아이디어를 생각해 내고, 그 아이디어를 실현하기 위해 밤새 작업을 하면서도 사업비 때문에 전전긍긍해야 하는 길고 고통스러운 과정을 거치는 것보다 위와 같은 과정을 거쳐 성공한 사업을 빼앗는 것이 훨씬 쉽고 빠르기 때문이다. 그러나 이런 식의 경쟁에서는 결국 누구나 패자(敗者)가 될 수밖에 없다. 아무리 고생해서 좋은 아이디어로 사업에 도전해도 그 결과(이익)를 다른 사람이 쉽게 차지한다면 누구도 새로운 사업을 시작하려 하지 않을 것이고, 누군가가 남의 것을 빼앗아 사업에서 일단 성공을 얻었다고 하더라도, 그를 기다리는 것은 다시 그의 사업을 빼앗기 위해 기다리고 있는 수많은 하이에나 무리일 것이기 때문이다.

'부정경쟁방지 및 영업비밀보호에 관한 법률'[1]은 아주 단순하게 말하면 위와 같이 자신의 사업으로 정정당당하게 경쟁하지 않고 남의 것을 빼앗아 이익만을 얻으려는 경쟁자의 부정한 행위(부정경쟁행위 등)를 막기 위한 법이다. 부정경쟁방지법은 부정경쟁행위 등을 법(法)의 힘으로 강력하게 금지함으로써, 사업자 간에 공정하고 발전적인 경쟁이 이루어지도록 유도한다. 이는 공정하고 건전한 거래질서의 확립을 목표로 하는 독점규제 및 공정거래에 관한 법률,[2] 가맹사업거래의 공정화에 관한 법률,[3] 하도급거래 공정화에 관한 법률[4] 등 다른 공정거래 관련 법률들과도 궤를 같이 한다. 물론 부정경쟁방지법의 경우에는 가맹사업법 등과 같이 특정 거래분야(가맹사업)에 대해서만 적용되는 것이 아니고 모든 거래분야에 광범위하게 적용되기 때문에, 당신이 어떤 사업을 하든지 미리 알아두면 반드시 도움이 될 법률 중하나이기도 하다. 이 책에서는 위와 같은 부정경쟁방지법의 핵심적인 내용을 살펴보고자 한다.

---

[1] 이하 '부정경쟁방지법'이라고 한다. 실무에서는 '부경법'이라는 약칭도 사용된다.
[2] 이하 '공정거래법'이라고 한다.
[3] 이하 '가맹사업법'이라고 한다.
[4] 이하 '하도급법'이라고 한다.

이 책에서는 편의상 또한 딱딱할 수밖에 없는 법률적인 내용을 조금이나마 부드럽게 만들어 보고자 '남의 사업을 빼앗기 위해 부정한 행위도 서슴지 않는 경쟁자'를 '검은 양(Black Sheep)'이라고 부르기로 한다.

저자는 세계적인 마케팅 전문가인 세스 고딘의 「보랏빛 소(Purple Cow)가 온다」[5]를 매우 감명깊게 읽었는데, 책에서는 보는 순간 사람들의 시선을 끌어당겨 주목할 수밖에 없는(remarkable) 제품이나 서비스를 '보랏빛 소(Purple Cow)'라고 설명한다. 황색 소나 얼룩 무늬 젖소들이 무리지어 있는 곳에 보랏빛 소가 한 마리 있다면 누구라도 그 소에 시선을 빼앗기고 관심을 가지게 될 것인데, 자신의 제품이나 서비스를 그런 보랏빛 소로 만들어야 한다는 것이 위 책의 주된 내용이다.

이 책에서 '검은 양'은 '보랏빛 소'처럼 좋은 의미는 아니다. 검은 양은 양의 탈을 쓰고 있지만 속내는 시커먼, 당신이 노력하여 만들어낸 결과물을 빼앗아 그 이익만을 누리려고 하는 나쁜 경쟁자이다. 이 책은 위와 같은 검은 양으로부터 당신의 사업을 지켜줄 강력한 무기인 부정경쟁방지법에 대해서 설명한다.

저자는 가능한 한 많은 사업가가 검은 양으로부터 자신의 사업을 지킬 수 있도록 이 책에서 어려운 법률용어 등을 알기 쉽게 설명하고자 노력하였고, 동시에 단순히 법률상식을 안내하는 것을 넘어서 실질적으로도 도움이 될 수 있도록 실제 사건들과 관련 판례 등의 구체적인 내용에 대해서도 최대한 다루고자 노력하였다. 부디 많은 사업

---

5) 세스 고딘, 「보랏빛 소가 온다」, 이주형, 재인(2004)

가가 부정경쟁방지법을 활용하여 검은 양과의 싸움에서 승리하고, 혁신적인 아이디어와 사업을 위한 노력이 정당하게 보상받게 되는 세상이 되기를 바란다.

마지막으로, 이 책을 쓰는 동안 항상 그 존재만으로도 커다란 힘이 되었던 사랑하는 아내 성옥과 딸 시연, 양가 부모님들, 책의 내용이 충실해질 수 있도록 많은 도움을 주신 법무법인(유한) 바른의 선배, 후배 변호사님들 그리고 이 책의 출간을 흔쾌히 수락하여 주시고 책의 발간을 위하여 노력을 아끼지 않으신 삼일인포마인 이희태 대표이사님, 조원오 전무님을 비롯한 관계자분들께 깊은 감사 인사를 남긴다.

차 례

III '영업비밀'은 어떻게 보호되는가?

IV 부정경쟁행위에 대응하는 방법

V 영업비밀 침해에 대응하는 방법

부 록

I

우리는 왜
'부정경쟁방지법'을
알아야 하는가?

1

부정경쟁방지법은
왜 만들어졌을까?

부정경쟁방지법은 국내에 널리 알려진 타인의 상표·상호 등을 부정하게 사용하는 등의 부정경쟁행위와 타인의 영업비밀을 침해하는 행위를 방지하여 건전한 거래질서를 유지하는 것을 그 목적으로 하고 있다(부정경쟁방지법 제1조). 즉, 부정경쟁방지법은 크게 '부정경쟁행위'와 '영업비밀 침해'라는 두 가지 문제에 대응하기 위하여 존재한다.

검은 양6)의 부정경쟁행위와 영업비밀 침해는 공정한 경쟁을 방해할 뿐만 아니라, 혁신적인 아이디어와 사업을 위한 노력·투자를 무의미하게 만들어 시장에 악영향을 미친다. 검은 양의 성공이 반복된다면 영국의 경제학자 토머스 그레셤(Thomas Gresham)의 "악화가 양화를 구축한다(Bad money drives out good)."는 말처럼 시장에는 검은 양만 남게 될 것이고, 자식 같은 사업의 성공을 위해 투자와 노력을 아끼지 않으면서도 공정한 방법으로 경쟁에서 승리하고자 했던 건실한 사업가는 모두 씁쓸하게 시장을 떠나게 될 것이다.

다행히도 많은 사람이 오래 전부터 검은 양의 불공정한 경쟁행위를

---

6) 왜 갑자기 '양' 이야기가 나오는지 궁금하다면 머리말을 다시 읽어보면 그 이유를 알 수 있다.

그대로 방치해서는 안 된다는 생각을 하였다. 그래서 '공업소유권 보호를 위한 파리협약'[7] 등에서 부정경쟁행위(unfair competition)의 방지의무를 규정하였고, 위 파리협약 등에 기초하여 세계 각국에서 부정경쟁행위를 규제하는 법률이 제정되었다.

우리나라 또한 1934. 12. 28. 조선부정경쟁방지령(조선총독부제령 제24호)에 따라 일본 부정경쟁방지법을 의용하였고, 1961. 12. 30. 법률 제911호로 우리나라 최초의 부정경쟁방지법이 제정되면서 부정경쟁행위에 대한 입법적 대응이 이루어졌다.[8] 이후 부정경쟁방지법은 산업과 기술의 발전, 거래형태의 변화 등에 따라 함께 변화하는 검은 양의 부정경쟁행위에 시기적절하게 대처할 수 있도록 지속적으로 개정되어 왔다.

---

[7] Paris Convention for the Protection of Industrial Property. 이하 '파리협약'이라 한다.
[8] 최정열·이규호, 「부정경쟁방지법」, 진원사(2019), 10쪽

2

다른 법률과의 관계

부정경쟁방지법 제15조 제1항은 "특허법, 실용신안법, 디자인보호법, 상표법, 농수산물 품질관리법 또는 저작권법에 제2조부터 제6조까지 및 제18조 제3항과 다른 규정이 있으면 그 법에 따른다."고 규정하고 있다.

또한 부정경쟁방지법 제15조 제2항은 "공정거래법, 표시·광고의 공정화에 관한 법률 또는 형법 중 국기·국장에 관한 규정에 제2조 제1호 (라)목부터 (바)목까지 및 (차)목, 제3조부터 제6조까지 및 제18조 제3항과 다른 규정이 있으면 그 법에 따른다."고도 규정하고 있다.

위 각 규정에서 다른 규정이 있으면 그 법에 따른다는 말의 의미는 부정경쟁방지법과 공정거래법 등 위에 열거된 법률에서 같은 내용(상품의 허위광고 등)에 관하여 규정하고 있으면 그 다른 법률의 내용이 우선하여 적용된다는 의미이다.[9]

그래서 다른 법률에 관련 규정이 있는 경우에는 부정경쟁방지법의 규정보다 다른 법률의 규정이 우선적으로 적용되고, 다른 법률과 부정경쟁방지법의 내용이 상반 또는 모순되지 않는 경우에는 부정경쟁

---

[9] 서울형사지방법원 1987. 12. 29. 선고 86고단5978 판결

방지법의 내용이 적용될 수 있다.[10]

예컨대, 어떤 스타트업에서 대표이사가 탕비실 음료에 관하여 내부 지침으로 "커피, 탄산음료를 1주일에 2번 5캔씩 구매한다."고 규정하였는데, 총무팀장이 탕비실 음료에 관하여 "티오○ 커피와 칠○사이다, 어떤 브랜드이든 오렌지주스를 1주일에 2번 7캔씩 구매한다."고 별도로 규정하였다고 가정해 보자.

대표이사의 규정(다른 법률)과 총무팀장의 규정(부정경쟁방지법) 중 상반되거나 모순되는 부분(오렌지주스의 구매, 7캔씩 구매)에 대해서는 대표이사의 규정(다른 법률)에 따라야겠지만(즉, 오렌지주스는 구매하지 않고 커피 등은 1주일에 2번 5캔씩 구매), 대표이사의 규정(다른 법률)에 저촉되지 않는 부분(커피 중 '티오○ 커피'의 구매, 탄산음료 중 '칠○사이다'의 구매)에 대해서는 총무팀장의 규정(부정경쟁방지법)을 적용할 수 있는 것이다.[11]

그렇다면, 부정경쟁방지법 제15조에서 열거하고 있지 않은 다른 법률(민법 등)과 부정경쟁방지법의 관계는 어떻게 될까? 부정경쟁방지법은 부정경쟁행위와 영업비밀 침해라는 특수한 유형의 불법행위에 적

---

[10] 대법원 1996. 5. 13.자 96마217 결정 등

[11] 위와 같은 내용에 따르면 상표법에 따라 등록을 마친 등록상표에 대해서는 상표법의 관련 규정이 우선적으로 적용되어야 할 것이다. 다만, 법원은 상표권의 등록이 자기의 상품을 타인의 상품과 식별시킬 목적으로 한 것이 아니고 국내에서 널리 인식되어 사용되고 있는 타인의 상표와 동일 또는 유사한 상표를 사용하여 수요자로 하여금 타인의 상품과 혼동을 하게 함으로써 그 상표의 이미지와 고객흡인력에 무상으로 편승하여 이익을 얻을 목적으로 하는 것이라면, 설사 권리행사의 외형을 갖추었다 하더라도 이는 공정한 거래질서를 해치는 것으로서 상표법을 악용하거나 남용한 것이 되어 상표법에 의한 적법한 권리의 행사라고 인정할 수 없으므로 이러한 경우에는 부정경쟁방지법 제15조의 적용이 배제된다고 보고 있다(대법원 2007. 6. 14. 선고 2006도8958 판결).

용되는 특별법이다. 따라서 부정경쟁행위 등에 대해서는 부정경쟁방지법이 우선적으로 적용되고 일반법인 민법은 보충적으로 적용된다. 다른 법률과의 관계에서는 별도의 규정이 존재하지 않는다면 부정경쟁행위 등에 대해서는 부정경쟁방지법이 적용되고, 다른 법률관계(약관 등)에 대해서는 해당 법률관계를 규율하는 법률(약관의 규제에 관한 법률12) 등)이 적용될 것이다.

---

12) 이하 '약관규제법'이라고 한다.

'부정경쟁행위'란 도대체 무엇인가?

1

들어가며

사업가가 부정경쟁방지법을 활용하여 검은 양을 물리치기 위해서는, 일단 같은 법이 금지하고 있는 '부정경쟁행위'가 무엇인지를 알아야 한다. 투자자가 나타나 투자를 제안하면서 상환전환우선주(RCPS)[13] 발행을 요청하였는데, 상환전환우선주(RCPS)가 무엇인지를 모른다면 더 이상 논의가 진행될 수 없는 것처럼, 부정경쟁방지법이 금지하는 '부정경쟁행위'가 무엇인지를 모른다면 아무리 검은 양이 눈 앞에서 대놓고 부정경쟁행위를 저지른다 하더라도 이에 제대로 대응할 수 없기 때문이다.

어떤 행위가 부정경쟁행위인지에 대해서는 '부정경쟁방지법'에서 구체적으로 규정하고 있다. 부정경쟁방지법 제2조 제1호 (가)목 내지 (카)목의 내용이 바로 그것이다.

해당 조문의 전문(全文)을 인용하면 다음과 같다.

---

[13] Redeemable Convertible Preferred Stock. 투자금의 상환을 요청할 수 있는 '상환권'과 상환권과 우선주를 보통주로 전환할 수 있는 '전환권', 회사 청산이나 배당 시 잔여재산 분배나 배당금에 있어서 보통주보다 유리한 '우선권'을 가지고 있는 주식이다.

부정경쟁방지법 제2조(정의)

이 법에서 사용하는 용어의 뜻은 다음과 같다

1. "부정경쟁행위"란 다음 각 목의 어느 하나에 해당하는 행위를 말한다.

    가. 국내에 널리 인식된 타인의 성명, 상호, 상표, 상품의 용기·포장, 그 밖에 타인의 상품임을 표시한 표지(標識)와 동일하거나 유사한 것을 사용하거나 이러한 것을 사용한 상품을 판매·반포(頒布) 또는 수입·수출하여 타인의 상품과 혼동하게 하는 행위

    나. 국내에 널리 인식된 타인의 성명, 상호, 표장(標章), 그 밖에 타인의 영업임을 표시하는 표지(상품 판매·서비스 제공방법 또는 간판·외관·실내장식 등 영업제공 장소의 전체적인 외관을 포함한다)와 동일하거나 유사한 것을 사용하여 타인의 영업상의 시설 또는 활동과 혼동하게 하는 행위

    다. 가목 또는 나목의 혼동하게 하는 행위 외에 비상업적 사용 등 대통령령으로 정하는 정당한 사유 없이 국내에 널리 인식된 타인의 성명, 상호, 상표, 상품의 용기·포장, 그 밖에 타인의 상품 또는 영업임을 표시한 표지(타인의 영업임을 표시하는 표지에 관하여는 상품 판매·서비스 제공방법 또는 간판·외관·실내장식 등 영업제공 장소의 전체적인 외관을 포함한다)와 동일하거나 유사한 것을 사용하거나 이러한 것을 사용한 상품을 판매·반포 또는 수입·수출하여 타인의 표지의 식별력이나 명성을 손상하는 행위

    라. 상품이나 그 광고에 의하여 또는 공중이 알 수 있는 방법으로 거래상의 서류 또는 통신에 거짓의 원산지의 표지를 하거나 이러한 표지를 한 상품을 판매·반포 또는 수입·수출하여 원산지를 오인(誤認)하게 하는 행위

마. 상품이나 그 광고에 의하여 또는 공중이 알 수 있는 방법으로 거래상의 서류 또는 통신에 그 상품이 생산·제조 또는 가공된 지역 외의 곳에서 생산 또는 가공된 듯이 오인하게 하는 표지를 하거나 이러한 표지를 한 상품을 판매·반포 또는 수입·수출하는 행위

바. 타인의 상품을 사칭(詐稱)하거나 상품 또는 그 광고에 상품의 품질, 내용, 제조방법, 용도 또는 수량을 오인하게 하는 선전 또는 표지를 하거나 이러한 방법이나 표지로써 상품을 판매·반포 또는 수입·수출하는 행위

사. 다음의 어느 하나의 나라에 등록된 상표 또는 이와 유사한 상표에 관한 권리를 가진 자의 대리인이나 대표자 또는 그 행위일 전 1년 이내에 대리인이나 대표자이었던 자가 정당한 사유 없이 해당 상표를 그 상표의 지정상품과 동일하거나 유사한 상품에 사용하거나 그 상표를 사용한 상품을 판매·반포 또는 수입·수출하는 행위

    (1) 「공업소유권의 보호를 위한 파리협약」(이하 "파리협약"이라 한다) 당사국

    (2) 세계무역기구 회원국

    (3) 「상표법 조약」의 체약국(締約國)

아. 정당한 권원이 없는 자가 다음의 어느 하나의 목적으로 국내에 널리 인식된 타인의 성명, 상호, 상표, 그 밖의 표지와 동일하거나 유사한 도메인이름을 등록·보유·이전 또는 사용하는 행위

    (1) 상표 등 표지에 대하여 정당한 권원이 있는 자 또는 제3자에게 판매하거나 대여할 목적

    (2) 정당한 권원이 있는 자의 도메인이름의 등록 및 사용을 방해할 목적

(3) 그 밖에 상업적 이익을 얻을 목적

자. 타인이 제작한 상품의 형태(형상·모양·색채·광택 또는 이들을 결합한 것을 말하며, 시제품 또는 상품소개서상의 형태를 포함한다. 이하 같다)를 모방한 상품을 양도·대여 또는 이를 위한 전시를 하거나 수입·수출하는 행위. 다만, 다음의 어느 하나에 해당하는 행위는 제외한다.

(1) 상품의 시제품 제작 등 상품의 형태가 갖추어진 날부터 3년 이 지난 상품의 형태를 모방한 상품을 양도·대여 또는 이를 위한 전시를 하거나 수입·수출하는 행위

(2) 타인이 제작한 상품과 동종의 상품(동종의 상품이 없는 경우에는 그 상품과 기능 및 효용이 동일하거나 유사한 상품을 말한다)이 통상적으로 가지는 형태를 모방한 상품을 양도·대여 또는 이를 위한 전시를 하거나 수입·수출하는 행위

차. 사업제안, 입찰, 공모 등 거래교섭 또는 거래과정에서 경제적 가치를 가지는 타인의 기술적 또는 영업상의 아이디어가 포함된 정보를 그 제공목적에 위반하여 자신 또는 제3자의 영업상 이익을 위하여 부정하게 사용하거나 타인에게 제공하여 사용하게 하는 행위. 다만, 아이디어를 제공받은 자가 제공받을 당시 이미 그 아이디어를 알고 있었거나 그 아이디어가 동종 업계에서 널리 알려진 경우에는 그러하지 아니하다.

카. 그 밖에 타인의 상당한 투자나 노력으로 만들어진 성과 등을 공정한 상거래 관행이나 경쟁질서에 반하는 방법으로 자신의 영업을 위하여 무단으로 사용함으로써 타인의 경제적 이익을 침해하는 행위

위 내용을 한번 읽는 것만으로도 어떤 행위가 부정경쟁행위인지 아주 막연하게나마 이해할 수 있을 것이다. 그러나 대부분의 법률 조항이 그러하듯 위 부정경쟁행위에 관한 정의(定義) 규정도 추상적인 부분이 많고 사용된 단어 등도 일상용어가 아니어서 판례 등을 통한 해석이 반드시 필요하다. 예컨대, 위 조항 (가)목은 '국내에 널리 인식된 상표 등'을 요건 중 하나로 하고 있는데, 위 내용만으로는 어느 정도로 인지도가 있어야지 국내에 널리 인식된 것으로 볼 수 있는지 바로 알기 어렵다. 이는 결국 실제 사건에서 법원이 판결을 통해 제시한 기준과 위 요건이 인정되거나 부정된 여러 사례들을 통해서 확인해 볼 수밖에 없다.

이하에서 부정경쟁행위의 각 유형별(부정경쟁방지법 제2조 제1호 각 목의 행위별)로 각 유형(행위)에 해당하기 위한 요건을 살펴본다. 설명의 순서로는 여러 부정경쟁행위에 공통되는 주요 개념에 대해서 먼저 살펴본 후, 개별 부정경쟁행위의 요건과 그와 관련된 사례(판결)의 내용을 구체적으로 살펴보기로 한다.

2

공통되는 주요 개념[14]

부정경쟁행위에 해당하는 각 행위를 규정한 부정경쟁방지법 제2조 제1호 각 목을 살펴보면, '국내에 널리 인식된', '상품 등을 표시한 표지' 등 반복적으로 등장하는 표현(개념)들이 존재한다. 이 항에서는 부정경쟁행위 해당 여부를 판단할 때에 자주 등장하는 위와 같은 주요 개념들에 대해서 먼저 살펴보기로 한다.

가. 주지성(周知性)

상품주체·영업주체 혼동행위(가목, 나목), 저명상표 희석행위(다목), 도메인이름 사용행위(아목) 등은 타인의 성명, 상호 등 타인의 상품임을 표시한 표지[15]가 '국내에 널리 인식되었을 것'을 요구한다. 이를 '주지성(周知性)'이라고 한다.

위 요건에서 '국내(國內)'가 무엇인지는 명확하다.[16] 그런데 상호

---

14) 여기서 살펴보는 개념들은 다소 어렵게 느껴지더라도 부정경쟁방지법뿐만 아니라 상표법 등 다른 주요 법령에서도 자주 등장하므로 반드시 기억해 둘 필요가 있다.
15) 이하 '상품표지'라고 한다.
16) 즉, 상품표지 등이 널리 인식되었는지 여부는 '대한민국'을 기준으로 판단된다.

등이 국내에 어느 정도로 알려져야 이를 널리 인식된 것으로 볼 수 있을까? 법원은 이를 부정경쟁행위의 유형에 따라 다르게 해석하고 있다.

우선, 상품주체·영업주체 혼동행위(가목, 나목)와 관련하여 법원은 "국내에 널리 인식된 것에 해당하려면 단순히 그 표지 등을 이미 사용하고 있다는 정도로는 부족하고 계속적인 사용, 품질개량, 광고선전 등으로 우월적 지위를 획득할 정도에 이르러야 하나, 국내 전역에 걸쳐 모든 사람들에게 주지되어 있음을 요하는 '저명의 정도'에까지 이르러야 하는 것은 아니고 국내의 일정한 지역적 범위 안에서 거래자 또는 수요자들 사이에서 알려지게 된 이른바 '주지의 정도'에 이른 것으로 족하다."고 설명하고 있다.[17] 구체적으로 어느 정도의 지역적 범위를 기준으로 할 것인지는 최소한 상품표지 등의 소유자와 그 상대방의 영업활동이 행하여지는 지역을 기준으로 하되, 상품의 종류 및 성질에 따른 거래범위, 거래대상자의 차이, 지역적 특수성 등을 고려하여 정해지게 될 것이다.[18]

반면, 저명상표 희석행위(다목)와 관련해서는 관계 거래자 외에 일반 공중의 대부분에까지 널리 알려지게 된 이른바 '저명의 정도'에 이르러야 '국내에 널리 인식'된 것으로 인정된다.[19]

---

17) 대법원 1997. 12. 12. 선고 96도2650 판결
    대법원 2012. 4. 26. 선고 2011도10469 판결
18) 특허청 정책연구(세종대학교 산학협력단), 「부정경쟁행위 판단기준 및 행정조사에 관한 연구」, 특허청(2018), 11쪽
    사법연수원, 「부정경쟁방지법」, 경성문화사(2015), 18쪽
19) 대법원 2017. 11. 9. 선고 2014다49180 판결

그렇다면, '국내에 널리 인식된 것'인지 여부는 무엇을 기준으로 판단해야 할까? 법원은 상호 등이 널리 알려졌는지는 그 상호 등의 사용기간, 방법, 사용의 모습이나 형태, 사용량, 거래범위 등과 사회에서 통용되는 일반적인 상식(=사회통념)상 객관적으로 널리 알려졌는지 여부를 기준으로 판단되어야 한다고 설명하고 있다.[20]

실제 사례들을 살펴보면 다음과 같은 요소들이 국내에 널리 인식되었는지를 판단하는 데에 고려되었다.

○ 국내의 한 업체가 세계적으로 유명한 루미큐브(RUMMIKUB) 보드게임과 게임 방법 등이 동일하거나 거의 유사한 보드게임인 루미(RUMMY)를 인터넷을 통해 판매한 사안에서, 법원은 루미큐브 보드게임의 개발 시기(70여 년간 전 세계적으로 3천만 개 이상 판매), 국내 판매처의 개수 및 연간 판매수량(국내 판매처 286개, 연간 판매량 약 6만 개), 루미큐브 상품을 사용하는 국내 대회의 개최 횟수와 규모(2005년 약 10회) 등을 고려하여 루미 보드게임이 판매되기 시작할 당시 루미큐브의 상품표지가 국내에서 널리 인식되어 있었다고 판단하였다.[21]

○ 돌침대 제품의 상품표지가 문제된 사안에서, 법원은 케이블 TV나 공중파 방송 3사의 TV, 국내 여러 중앙 일간지와 지방지 및 각종 잡지를 통하여 전국적으로 해당 상품표지를 사용하여 제품광고를 해온 점, 삼성역 무역센터에서 개최된 전시(KOFRUN 2000)에 참가

<hr>

[20] 대법원 2011. 4. 28. 선고 2009도11221 판결
[21] 대법원 2009. 8. 20. 선고 2007다12975 판결

하여 제품을 적극 홍보한 사실도 있는 점, 그 판매실적 등을 인정받아 2002년 코리아타임즈 선정 베스트브랜드상 등을 수상한 점, 해당 돌침대 제품이 전국 60여 개 대리점과 10여 개의 직영점, 국내 주요 백화점을 통하여 판매되고 있는 점, 그 외에 연간 매출액 및 광고비 지출액, 시장점유율(1위), 한국갤럽조사연구소의 인지도 조사 결과 등을 종합적으로 고려하여 해당 상품표지가 국내의 거래자 또는 수요자 사이에 널리 알려져 있었다고 판단하였다.[22)

O '不老酒(불로주)'라는 막걸리 제품과 관련된 사안에서, 법원은 피해자 측이 지출한 광고비(약 6년간 매년 1억 1,000여만 원), 매출액 중 해당 제품의 비중, 국내 소비량에서 해당 제품이 차지하는 비중(약 9.6%), 언론보도 내용 등을 고려하여 피고인이 같은 대구 지역에서 피해자의 상품표지를 사용하여 막걸리 제품을 생산·판매한 시점에는 이미 위 상품표지가 대구와 그 인근 지역 일반 수요자들에게 상품표지로서 널리 알려져 있었다고 판단하였다.[23)

O 이화여자대학교의 '이화(梨花, EWHA)' 부분이 문제된 사안에서, 법원은 이화여자대학교가 1930년부터 현재까지 대학교를 운영해 오면서 그 교육 관련 영업활동에 '이화' 등을 사용해 온 사실, 2010년 2월경까지 약 145,870명의 대학졸업생과 35,561명의 대학원 졸업생을 배출하고, 2003. 5. 31. 창립 117주년을 맞이한 우리나라 최고 여성교육기관으로서의 위치를 확고히 차지하고 있는 사실, 2004년 10월경 시행한 브랜드 인지도 전화 설문조사결과에 따르면

---

22) 대법원 2012. 7. 12. 선고 2010다60622 판결
23) 대법원 2012. 5. 9. 선고 2010도6187 판결

응답자의 약 73.9%가 '이화'하면 가장 먼저 연상되는 것으로 '이화여자대학교'라고 응답한 사실 등에 기초하여 위 '이화'라는 영업표지가 일반 거래자나 수요자에게 학교법인 이화학당의 교육 관련 영업 활동을 표시하는 것으로 현저하게 인식되어 그 자체로서 주지·저명성을 취득하였다고 판단하였다.[24]

○ 법원은 피고 식당이 유명 맛집과 상호와 서비스 방식이 유사하여 문제된 사안에서, 상당한 매출이 있다고 하더라도 객관적인 지표나 선정기준 등이 포함된 동종 외식업체의 매출 규모나 정보검색결과 등과의 비교가 없다면 주지성을 인정하기 어렵다고 판단하였다.[25]

위 주지성의 판단에 있어서 상품표지가 '언제' 국내에 널리 인식되어 있었어야 할까? 상품표지 등의 인지도는 빠르게 변화하기 때문에 기준시점을 언제로 하느냐에 따라 부정경쟁행위에 해당하는지의 결론이 달라질 수 있다.

이에 대해서 법원은 부정경쟁방지법 위반죄(형벌 조항)의 적용과 부정경쟁방지법 제5조에 따른 손해배상청구에 있어서는 침해행위 당시를 기준으로 주지성 획득 여부를 판단하여야 한다고 판시하였고,[26] 부정경쟁방지법 제4조에 따른 금지청구에 있어서는 사실심 변론종결 시[27]를 기준으로 주지성 획득 여부를 판단하여야 한다고 판단하

---

24) 대법원 2014. 5. 16. 선고 2011다77269 판결
25) 서울중앙지방법원 2019. 11. 21. 선고 2019가합526830 판결
26) 대법원 2008. 9. 11. 선고 2007도10562 판결(부정경쟁방지법 위반죄), 대법원 2008. 2. 29. 선고 2006다22043 판결(부정경쟁방지법 제5조에 의한 손해배상청구)
27) 우리나라에서 사실심은 일반적으로 항소심(통상적으로 고등법원)까지를 의미한다.

였다.[28)

한편, 주지성이 인정되기 위해서는 '타인(특정인)'의 상품표지 등이 어야 하지만 그 특정인이 누구인지까지 명확하게 알려져 있어야만 하는 것은 아니다. 따라서 영업양도 등 상품주체의 인격이 변경되는 경우에 있어서 주지 상품표지의 이전과 함께 거기에 관계된 영업의 일체 등이 함께 이전된 경우 원칙적으로 상품표지의 주지성이 새로운 영업주에게 승계된다.[29)

나. 상품 등의 표지(標識)

부정경쟁방지법 제2조 제1호 (가)목 내지 (바)목, (아)목은 타인의 상품임을 표시한 표지 등 출처표시 기능을 하는 '표지'라는 개념을 사용하고 있다. 여기서 '표지(標識)'는 표시나 특징으로 어떤 대상을 다른 것과 구별하게 하는 기능(자타구별기능, 출처표시기능)을 하는 기호, 도형, 문자, 형상 등을 의미한다.[30)

예컨대, 우리가 휴대폰대리점에서 스마트폰을 구매할 때에 '삼성 갤럭시노트(Galaxy Note)'라는 상품표지가 다른 상품과 구별되는 출처표시로서의 기능을 수행한다. 그래서 우리는 따로 삼성전자 고객센터에

그리고 소송(재판)은 보통 여러 차례의 변론기일을 통해 진행되는데, 더 이상 변론기일을 지정하지 않고 당사자의 주장과 증거 제출을 마무리하면서 선고기일을 지정하는 단계를 '변론종결'이라고 한다. 1심에서 소송이 끝났다면 1심 변론종결 시가, 2심에서 소송이 끝났다면 2심 변론종결 시가 각 사실심 변론종결 시가 된다.

28) 대법원 2004. 3. 25. 선고 2002다9011 판결
29) 대법원 1996. 5. 31. 선고 96도197 판결
30) 최정열·이규호, 앞의 책, 18쪽

전화를 걸어 확인하거나 구체적인 제품사양을 확인하지 않고도 우리가 구입한 스마트폰이 삼성전자에서 제조한 특정한 기능(갤럭시노트 모델의 기본사양)을 갖춘 스마트폰이라는 것을 신뢰할 수 있게 된다.

부정경쟁방지법을 통해 보호되는 표지는 식별력을 갖추어야 한다. 식별력은 '특정 상품을 다른 상품과 구분하여 알아볼 수 있게 해 주는 힘'을 말한다. 어떤 표지가 식별력을 갖춘 것으로 평가될 수 있는지는 구체적인 사안별로 판단되어야겠지만, 상표법 제33조의 내용을 참고할 수 있다.

상표법 제33조 제1항 각호는 ① 그 상품의 보통명칭을 보통으로 사용하는 방법으로 표시한 표장[31]만으로 된 상표(예컨대 '탄산음료', '자동차' 등), ② 그 상품에 대하여 관용(慣用)하는 상표(예컨대, 과자제품의 경우 '깡' 등), ③ 그 상품의 산지(産地), 품질, 원재료, 효능, 용도, 수량, 형상, 가격, 생산방법, 가공방법, 사용방법 또는 시기를 보통으로 사용하는 방법으로 표시한 표장만으로 된 상표(예컨대 '이동갈비' 등), ④ 현저한 지리적 명칭이나 그 약어(略語) 또는 지도만으로 된 상표(예컨대, '백두산' 등), ⑤ 흔히 있는 성(姓) 또는 명칭을 보통으로 사용하는 방법으로 표시한 표장만으로 된 상표(예컨대, '김씨' 등의 성과 '회장님'과 같은 직위 등), ⑥ 간단하고 흔히 있는 표장만으로 된 상표(예컨대, 알파벳 'A' 등), ⑦ 그 외에 수요자가 누구의 업무에 관련된 상품을 표시하는 것인가를 식별할 수 없는 상표는 상표등록을 받을 수 없다고 규정하

---

[31] 표장은 기호, 문자, 도형, 소리, 냄새, 입체적 형상, 홀로그램·동작 또는 색채 등으로서 그 구성이나 표현방식에 상관없이 상품의 출처(出處)를 나타내기 위하여 사용하는 모든 표시를 말한다(상표법 제2조 제1항 제2호).

고 있다. 위와 같은 상표들은 식별력이 없거나 미약하여 출처표시기 능을 제대로 수행할 수 없기 때문에 상표등록을 인정하지 않는 것이고, 상표의 식별력에 관한 위 내용은 부정경쟁방지법상 상품표지 또는 영업표지 해당 여부를 판단함에 있어서도 중요하게 고려할 수 있는 기준이 된다.

다만, 상표법은 위와 같이 그 형식상 식별력이 없거나 미약한 상표라고 하더라도 상표등록출원 전부터 그 상표를 사용한 결과 수요자 사이에서 특정인의 상품에 관한 출처를 표시하는 것으로 식별할 수 있게 된 상표에 대해서는 그 상표를 사용한 상품에 한정하여 상표등록을 받을 수 있다고 규정하고 있다(상표법 제33조 제2항).[32] 이는 형식적으로 보통명칭 등의 상표라고 하더라도 식별력을 이미 획득한 경우에는 보호할 필요가 있기 때문에 존재하는 규정이다.

○ 법원은 현저한 지리적 명칭만으로 된 상표 또는 서비스표로서 상표법상 보호받지 못한다고 하더라도 그것이 오랫동안 사용됨으로써 거래자나 일반 수요자들에게 어떤 특정인의 영업을 표시하는 것으로 널리 알려져 일반 수요자들이 그와 같이 인식하게 된 경우에는 부정경쟁방지법이 보호하는 영업표지(서비스표에 한정되지 아니하고, 타인의 성명이나 상호, 표장 기타 타인의 영업임을 표시하는 일체의 표

---

[32] 상품의 산지를 보통으로 사용하는 방법으로 표시한 표장만으로 된 상표 또는 현저한 지리적 명칭이나 그 약어(略語) 또는 지도만으로 된 상표의 경우 그 표장이 특정 상품에 대한 지리적 표시인 경우에는 그 지리적 표시를 사용한 상품을 지정상품으로 하여 지리적 표시 단체표장등록을 받을 수 있다(상표법 제33조 제3항).

지를 포함한다)에 해당한다고 판단하였다.[33]

다. 영업(營業)

부정경쟁방지법은 타인의 영업과 혼동을 일으키게 하는 행위 등을 금지한다. 여기서 '영업'은 영리를 목적으로 동종의 행위를 계속 반복적으로 행하는 것을 말하는데, 부정경쟁방지법에서의 영업은 반드시 상인에 의해 이루어져야만 하는 것은 아니고 영업의 대상 또한 꼭 상행위이어야 하는 것은 아니다('상인'과 '상행위'에 관하여는 상법에서 규정하고 있다).[34]

비영리법인이나 공익법인의 경우에도 진행하는 사업에 경제성이 인정된다면, 이는 부정경쟁방지법이 보호하는 영업에 해당한다. 법원은 'KIST(한국과학기술연구원)'의 사업에 관하여 "과학, 학술, 기예의 진흥 발전을 목적으로 하는 공익법인에 있어서도 그 직접의 목적은 영리 그 자체가 아니라고 하더라도 그 사업에 경제성이 인정된다면 부정경쟁방지법이 보호하는 영업에 해당한다."고 판단한 바 있다.[35]

---

33) 대법원 1999. 4. 23. 선고 97도322 판결
34) 특허청 정책연구(세종대학교 산학협력단), 앞의 책, 11쪽
35) 서울고등법원 1996. 7. 5. 선고 96나7382 판결

3

상품주체·영업주체 혼동 초래

가. 기본 설명

상품주체·영업주체 혼동행위(부정경쟁방지법 제2조 제1호 가목, 나목)는 상품이나 영업의 표시로서 수요자들 사이에 널리 인식되어 있는 표지와 동일하거나 유사한 것을 사용하는 등으로 타인의 상품이나 영업과 혼동을 일으키게 하는 행위를 말한다.

해당 조문의 내용은 다음과 같다.

가. 국내에 널리 인식된 타인의 성명, 상호, 상표, 상품의 용기·포장, 그 밖에 타인의 상품임을 표시한 표지(標識)와 동일하거나 유사한 것을 사용하거나 이러한 것을 사용한 상품을 판매·반포(頒布) 또는 수입·수출하여 타인의 상품과 혼동하게 하는 행위

나. 국내에 널리 인식된 타인의 성명, 상호, 표장(標章), 그 밖에 타인의 영업임을 표시하는 표지(상품 판매·서비스 제공방법 또는 간판·외관·실내장식 등 영업제공 장소의 전체적인 외관을 포함한다)와 동일하거나 유사한 것을 사용하여 타인의 영업상의 시설 또는 활동과 혼동하게 하는 행위

위 (가)목에 해당하기 위해서는 ① 타인의 성명, 상호, 상표, 상품의 용기·포장, 그 밖에 타인의 상품임을 표시한 표지(즉, 상품표지)가 ② 국내에 널리 인식되어 있어야 하고(주지성), ③ 침해행위자가 위 상품 표지와 동일하거나 유사한 것을 사용하거나 이러한 것을 사용한 상품을 판매·반포 또는 수입·수출함으로써 ④ 타인의 상품과 혼동하게 하는 행위를 한 경우이어야 한다. 또한 위 (나)목에 해당하기 위해서는 ① 타인의 성명, 상호, 표장(標章), 그 밖에 타인의 영업임을 표시하는 표지(즉, 영업표지)가 ② 국내에 널리 인식되어 있어야 하고(주지성), ③ 침해행위자가 위 영업표지와 동일하거나 유사한 것을 사용함으로써 ④ 타인의 영업상의 시설 또는 활동과 혼동하게 하는 행위를 한 경우이어야 한다.

위에서 확인되는 것처럼, 위 (가)목의 행위(상품주체 혼동행위)와 (나)목의 행위(영업주체 혼동행위)는 그 기준이 되는 대상(혼동이 초래된 또는 혼동을 초래한 대상)이 다를 뿐 대부분의 요건이 동일하다. 이 점에 유의하여 이하에서 위 (가)목 및 (나)목에 해당하기 위한 각 요건의 구체적인 내용을 살펴보자.

나. 타인의 성명 등 상품표지·영업표지

상품표지는 타인의 성명, 상호,36) 상표, 상품의 용기·포장, 그 밖에

---

36) 상호에 대해서는 상법 또한 "누구든지 부정한 목적으로 타인의 영업으로 오인할 수 있는 상호를 사용하지 못한다."고 규정하고 있다(상법 제23조 제1항). 위 규정을 위반한 자에 대해서는 상호의 폐지 청구나 손해배상 청구 등을 할 수 있다(상

타인의 상품임을 표시한 표지이다. 영업표지도 타인의 성명, 상호 부분은 동일하지만 표장(標章) 부분이 다른 예시이고, 그 밖에 타인의 영업임을 표시하는 표지에 <상품 판매·서비스 제공방법 또는 간판·외관·실내장식 등 영업제공 장소의 전체적인 외관>이 포함된다. 위 괄호 안 부분은 트레이드 드레스(Trade Dress)[37]를 의미하는 것으로서, 2018년 개정법에서 '그 밖에 타인의 영업임을 표시하는 표지'의 범위에 트레이드 드레스를 포함시켜 명시하는 방식으로 법 개정이 이루어졌다.

상품표지에서 '상품'은 그 자체가 교환가치를 가지고 독립된 상거래의 목적물이 되는 물품을 의미한다. 그래서 고객에 대한 서비스 제공 등의 목적으로 고객에게 무상으로 배부되어 거래시장에서 유통될 가능성이 없는 '이른바 광고 매체가 되는 물품'은 특별한 사정이 없는 한 그 자체가 교환가치를 가지고 독립된 상거래의 목적물이 되는 물품이라고 볼 수 없다.[38]

각 예시 부분을 살펴보면, '성명'은 반드시 주민등록표 등 공부상 등재된 성명에 한정할 것은 아니고 연예인의 예명, 그룹명, 애칭 또는

법 제23조 제2, 3항).

[37] 상행위를 의미하는 '트레이드(Trade)'와 전체적인 외관·외양을 의미하는 '드레스(Dress)'의 조합에 의한 용어인 '트레이드 드레스(Trade Dress)'는 어문상으로는 상행위와 관련된 상품 등의 외관·외양을 의미하는데, 상품이나 서비스의 출처를 표시하는 문자나 기호 또는 도형들과는 달리, 상품이나 서비스의 포장, 색채의 조합 그리고 도안을 포함하는 '상품이나 서비스의 전체적인 이미지'가 포함되고, 영업소의 형태와 외관, 내부 디자인, 장식, 표지판, 근로자의 작업복 등 '영업의 종합적인 이미지' 또한 포함될 수 있다(서울중앙지방법원 2014. 11. 27. 선고 2014가합524716 판결).

[38] 서울고등법원 2017. 12. 22.자 2017라20655 결정

약칭도 포함된다고 볼 것이다('방탄소년단' 등).[39] '상호'는 상인이 영업상 다른 상인과 자신을 구별하는 표시로서 사용하는 명칭을 말한다('삼성전자' 등). '상표'는 자기의 상품과 타인의 상품을 식별하기 위하여 사용하는 표장(標章)을 말하는데(상표법 제2조 제1항 제1호), 여기에는 상표등록을 받은 등록상표가 아닌 상표(미등록 상표)도 포함된다('스타벅스'의 로고[40] 등). 상품의 용기·포장은 말 그대로 물건을 담는 그릇과 물건을 싸거나 꾸리는 데 쓰는 천이나 종이를 말한다. 그 밖에 타인의 상품(영업)임을 표시하는 표지에는 상품의 형태나 모양, 영업제공장소의 전체적인 외관, 캐치프레이즈(catchphrase),[41] 캐릭터 등이 포함될 수 있다.

위 타인의 성명 등은 단순히 개인이나 회사를 식별하는 수준을 넘어서 상품이나 영업의 출처를 표시하는 표지로서의 기능(즉, 출처표시기능)을 할 정도에 이르렀을 때에만 위 (가)목 및 (나)목에서 말하는 상품표지 또는 영업표지에 해당한다. 특히, 성명이나 상품의 용기·포장 그 밖의 타인의 상품(영업)임을 표시하는 표지 등과 같이 일반적으로 상품·영업의 출처를 표시하는 기능을 갖지 않는 것의 경우에는 더욱 그러하다. 예를 들어, 누구나 이름(성명)을 가지고 있고 그것이 타인과 자신을 구별하는 기능을 하지만 상품표지 또는 영업표지로 인정되기 위해서는 '홍○재 청국장' 등과 같이 그 성명 등이 상품이나 영업의

39) 최정열·이규호, 앞의 책, 21쪽
40) 참고로, 스타벅스 로고 속 여인은 그리스 로마 신화에 나오는 '세이렌'이다. 세이렌은 아름다운 목소리로 사람들을 홀려 스스로 물속에 빠지게 만드는 것으로 알려져 있다.
41) 광고 등에서 다른 사람의 주의를 끌기 위해 사용되는 문구 및 문장을 말한다.

출처를 표시하는 기능을 하는 것으로 인정될 수 있어야 한다.

이와 관련된 몇 가지 판결을 소개하면, 우선 법원은 상품의 용기·포장에 관하여 어떤 용기나 포장의 형상과 구조 또는 문양과 색상 등이 상품에 독특한 개성을 부여하는 수단으로 사용되고, 그것이 장기간 계속적·독점적·배타적으로 사용되거나 지속적인 선전광고 등에 의하여 그 형상과 구조 또는 색상 등이 갖는 차별적 특징이 거래자 또는 수요자에게 특정한 품질을 가지는 특정 출처의 상품임을 연상시킬 정도로 현저하게 개별화되기에 이른 경우에만 상품표지로서 인정될 수 있다고 설명하고 있다.[42] 또한 법원은 어떤 표장이 순전히 장식적 또는 디자인적으로 사용되었다고 볼 수 있는 경우에는 상표의 사용으로 보지 않을 것이나, 디자인과 상표는 배타적·선택적인 관계에 있는 것이 아니므로 디자인이 될 수 있는 형상이나 모양이라 하더라도 그것이 상표의 본질적인 기능이라고 할 수 있는 자타상품의 출처표시를 위하여 사용되는 것으로 볼 수 있는 경우에는 위 사용은 상표로서의 사용이라고 보아야 하고,[43] 그것이 상표로서 사용되고 있는지는 상품과의 관계, 당해 표장의 사용 태양(즉, 상품 등에 표시된 위치, 크기 등), 등록상표의 주지·저명성 그리고 사용자의 의도와 사용 경위 등을 종합하여 실제 거래계에서 표시된 표장이 상품의 식별표지로서 사용되고 있는지에 의하여 판단하여야 한다고 판시한 바 있다.[44]

---

42) 대법원 2001. 2. 23. 선고 98다63674 판결
43) 대법원 2009. 5. 14. 선고 2009후665 판결
44) 대법원 2012. 3. 29. 선고 2010다20044 판결
   대법원 2013. 3. 28. 선고 2010다58261 판결 등

구체적으로 어떤 경우에 상품표지 또는 영업표지로 인정되는지에 관하여, 실제로 다음과 같은 사례들이 문제된 바 있다.

○ 모방 가수(이미테이션 가수)가 다른 가수(박상민)의 이름과 외양(모자와 선글라스를 착용하고 독특한 모양의 수염을 기른 스타일)을 사용하여 나이트클럽 등에서 모방 가수임을 밝히지 않고 립싱크(lip-sync)로 공연을 하여 문제된 사안에서, 법원은 가수의 성명이 일반인들에게 장기간 계속적·독점적으로 사용되거나 지속적인 방송 출연 등에 의하여 그 가수의 속성이 갖는 차별적인 특징이 그 가수가 가지는 고객흡인력 때문에 일반인들 대부분에게 해당 가수를 인식시킬 정도로 현저하게 개별화되고 우월적 지위를 취득한 경우, 이러한 가수의 성명은 구 부정경쟁방지법에서 말하는 '국내에 널리 인식된 영업표지'에 해당한다고 보아야 한다고 판단하였다. 다만, 법원은 위 사안에서 가수의 특징적인 외양과 독특한 행동 등은 구 부정경쟁방지법에서 말하는 '영업표지'에 해당하지 않는다고 판단하였다.45)

○ 뮤지컬의 제목 그 자체가 상품표지 또는 영업표지가 될 수 있는지가 문제된 사안에서, 법원은 뮤지컬의 제목은 특별한 사정이 없는 한 해당 뮤지컬의 창작물로서의 명칭 또는 내용을 함축적으로 나타내는 것에 그치고 그 자체가 바로 상품이나 영업의 출처를 표시하는 기능을 가진다고 보기는 어렵다고 판단하였다. 다만, 법원은

---

45) 대법원 2009. 1. 30. 선고 2008도5897 판결

동일한 제목으로 동일한 각본·악곡 등이 이용된 뮤지컬 공연이 회를 거듭하여 계속적으로 이루어지거나 동일한 제목이 이용된 후속 시리즈 뮤지컬이 제작·공연된 경우에는 공연 기간과 횟수, 관람객의 규모 등 구체적·개별적 사정에 비추어 뮤지컬의 제목이 거래자 또는 수요자에게 해당 뮤지컬의 공연이 갖는 차별적 특징을 표상함으로써 구체적으로 누구인지는 알 수 없다고 하더라도 특정인의 뮤지컬 제작·공연 등의 영업임을 연상시킬 정도로 현저하게 개별화되기에 이르렀다고 보인다면, 뮤지컬의 제목도 영업표지에 해당할 수 있다고 판단하였다.[46]

○ 상품의 형태가 그 밖의 타인의 상품임을 표시한 표지에 해당하는지가 문제된 사안에서, 법원은 상품의 형태가 다른 유사상품과 비교하여 수요자의 감각에 강하게 호소하는 독특한 디자인적 특징을 가지고 있고, 일반수요자가 한 번 보고 특정의 영업주체의 상품이라는 것을 인식할 수 있는 정도의 식별력을 갖추고 있는 경우라야 출처표시기능을 가진 것으로 인정할 수 있다고 판단하였다.[47]

○ '포모나' 도자기그릇 세트에 새겨진 과일문양에 대해서 법원은 해당 도자기그릇 세트가 영국에서 1982년경부터 개발·제조되어 세계적으로 판매되어 온 점이나 위 과일문양이 그 모양, 색채, 위치 및

---

[46] 대법원 2015. 1. 29. 선고 2012다13507 판결
해당 판결에서는 뮤지컬 캣츠의 '캣츠(CATS)' 표지가 문제되었는데, 법원은 2003년부터 약 5년간 위 공연을 관람한 유료관람객 수가 849,859명에 이르고, 위 공연과 관련하여 MBC의 텔레비전 광고 등 언론을 통한 광고·홍보도 상당한 정도로 이루어졌다는 점 등을 근거로 위 '캣츠(CATS)' 표지가 영업표지에 해당한다고 판단하였다.
[47] 대법원 2007. 7. 13. 선고 2006도1157 판결

배열에서 다른 업체의 문양과 차별성이 인정된다는 점 등에 근거하여 위 과일문양이 출처표시기능을 가진 상품표지에 해당한다고 판단하였다.[48]

○ 커피추출액과 우유를 혼합한 커피음료에 부착하여 사용한 'Cafe Latte'와 '카페라떼'라는 표장이 문제된 사안에서, 법원은 위 표장은 이탈리아식 에스프레소 커피에 우유를 넣은 커피의 보통명칭을 보통으로 사용하는 방법으로 표시한 것에 불과하여 비록 채권자가 오랫동안 이를 사용하여 왔다고 하더라도 식별력을 갖추지 못하였으므로 이는 상품표지에 해당하지 않는다고 판단하였다.[49]

○ '여의도떡방'이라는 상호가 문제된 사안에서, 법원은 '여의도'라는 부분은 널리 알려진 지명이어서 상품출처 또는 영업주체를 식별하는 요부가 될 수 없고, '떡방'이라는 부분도 떡을 제조·판매하는 곳이라는 의미의 보통명사 또는 관용문구에 불구하여 여기에도 상품출처 또는 영업주체에 대한 식별력을 인정할 수 없는데다가 '여의도떡방'에는 여의도에 소재하는 떡방을 지칭하는 의미가 내포되어 있으므로 '여의도떡방'이라는 상호 그 자체만으로 상품출처 또는 영업주체에 대한 식별력이 인정될 수 없다고 판단하였다.[50]

○ 법원은 캐릭터(character)에 관하여 캐릭터가 상품화되어 국내에 널리 인식된 상품표지가 되기 위해서는 캐릭터 자체가 국내에 널리 알려져 있는 것만으로는 부족하고, 그 캐릭터에 대한 상품화 사업

---

48) 대법원 2002. 2. 8. 선고 2000다67839 판결
49) 대법원 2003. 8. 19. 선고 2002마3845 판결
50) 서울고등법원 2010. 7. 7. 선고 2010나7319 판결

이 이루어지고 이에 대한 지속적인 선전·광고 및 품질관리 등으로 그 캐릭터가 이를 상품화할 수 있는 권리를 가진 자의 상품표지이 거나 위 상품화권자와 그로부터 상품화 계약에 따라 캐릭터 사용 허락을 받은 사용권자 및 재사용권자 등 그 캐릭터에 관한 상품화 사업을 영위한 집단의 상품표지로서 수요자들에게 널리 인식되어 있을 것을 요한다고 판단하였다.[51]

○ 서적 등의 제호와 관련하여 법원은 제호는 원래 서적에 담긴 저작 물의 창작물로서의 명칭이나 그 내용을 직접 또는 함축적으로 나 타내는 것이고, 제호·표지 디자인도 저작물의 내용을 효과적으로 전달하기 위한 것으로서 해당 창작물과 분리되기 어려우므로, 제호 또는 제호·표지 디자인을 영업표지라고 볼 수 있으려면 이를 영업 을 표시하는 표지로 독립하여 사용해 왔다는 사실이 인정되어야 한다고 판단하였다.[52]

○ 법원은 프랜차이즈 멕시코 음식점의 오픈형 주방 등 트레이드 드 레스가 문제된 사안에서, 트레이드 드레스가 인정되려면 원고 식당 이 고객에게 제공하거나 원고 식당에서 이루어지는 서비스의 종합 적 이미지, 외양이 다른 식당 등에서 제공되거나 이루어지는 서비 스의 종합적 이미지와 구별되는 식별력이 인정되어야 하고, 그와

---

[51] 대법원 2005. 4. 29. 선고 2005도70 판결
오래된 판결이기는 하지만 대법원은 '미키마우스' 캐릭터에 대해서도 '더 월트디즈 니 컴퍼니' 또는 그로부터 미키마우스 캐릭터의 사용을 허락받은 사람이 제조·판매 하는 상품의 표지로서 국내에 널리 인식되었다고 인정하기에 부족하여 상품표지에 해당하지 않는다고 판단한 바 있다(대법원 1996. 9. 6. 선고 96도139 판결).
[52] 대법원 2013. 4. 24. 선고 2012다41440 판결

같은 식별력은 비슷한 종류의 음식이 제공되는 식당과 다른 원고 식당만의 고유한 영업의 이미지나 외양이 특정되어야 인정할 수 있는데 프랜차이즈 방식으로 운영되는 대규모 외식업체의 식당에서 오픈형 주방은 흔히 볼 수 있는 인테리어이므로 트레이드 드레스가 인정되지 않는다고 판단하였다. 또한 법원은 위 사건에서 원고 식당의 개별 메뉴에 대해서도 그것이 일반 멕시코요리 전문점과 얼마나 차별화된 특이한 재료나 요리법을 사용하여 개발하고 소비자들에게 인식되고 있는지 등에 관하여 인정할 아무런 증거가 없는 상황에서 원고 식당의 메뉴가 원고 식당만의 트레이드 드레스를 구성한다고 보기 어렵다고 판단하였다.53)

○ 법원은 천식 치료제(타원형 흡입기)의 색채가 문제된 사안에서, 색채(色彩)를 특정인에게 독점시키면 동종 업계에서 사용할 색채가 곧 고갈되어 경쟁자들이 더 이상 사용할 색채가 없어지게 되는 사태를 초래하고 일반적으로 수요자는 자연계에 한정적으로 존재하는 색채만으로는 특정 상품을 식별하지 않는 점 등을 고려하여 색채만으로 된 표지는 선천적으로는 식별력이 없고, 다만 사용에 의하여 식별력을 취득하였음이 증명된 경우에만 그 식별력을 인정할 수 있는데, 색채만으로 된 표지가 식별력을 취득하였다고 인정하기 위해서는 그 사용 시기 및 기간, 판매수량 및 시장점유율, 광고·선전이 이루어진 기간 및 규모, 그 색채와 유사한 다른 상품 등의 경합적 사용의 정도 및 그 사용 모습·형태, 색채 사용자의 명성과

---

53) 서울중앙지방법원 2019. 10. 10. 선고 2018가합566909 판결

신용 등을 종합적으로 고려하여 그 색채가 수요자에게 누구의 상품을 표시하는 광고라고 현저하게 인식되어 있는지를 엄격하게 해석·적용하여 판단하여야 한다고 설명하였다. 그리고 법원은 위 사안에서 원고의 흡입기 형태를 떠나 '보라색'만으로 원고 제품이 유통되거나 광고된 실적은 미미한 수준으로 보인다는 등의 이유로 원고 흡입기의 일부에 채색되어 있는 '보라색' 부분에 대해서는 이를 원고 제품을 표시하는 표지로서 식별력이 있다고 인정하기 어렵다고 판단하였다.[54]

○ 법원은 노래하는 거북이 완구가 문제된 사안에서, 유아용 완구 분야에서 동물들을 소재로 삼아 가족관계를 구현한 제품이 흔하기는 하지만, 원고의 거북이 완구가 ① 테를 위로 접어 올린 형태의 동그란 모자를 쓰고 있으면서 배 부분과 직각을 이루는 머리 부분, ② 다소 커다랗게 형성한 눈과 약간 튀어나온 상태로 다물고 있는 입 부분, ③ 둥그런 형태의 바퀴 4개를 외부로 돌출하여 형성한 다리 부분, ④ 다각형을 방사상으로 배치하여 등 무늬를 표현하면서 바퀴가 있는 쪽을 바퀴의 형태에 맞추어 곡선으로 처리한 등딱지 부분 등이 조합되어 큰 거북의 형태를 이루고 있고 그와 닮은 꼴로 작은 거북의 형태가 구성되어 있는 점은 국내에서 유통되는 완구상품에 통상 있는 형태라거나 그 완구의 성질 내지 기능에서 유래하는 필연적인 형태라고 볼 수 없다는 등의 이유로 원고의 완구 형태에는 다른 완구 제품과 구별되는 특이성이 있으므로 상품

---

[54] 서울고등법원 2016. 3. 31. 선고 2015나2049390 판결
다만, 같은 법원은 '원고 흡입기의 형태'에 대해서는 상품표지로 인정하였다.

표지성을 갖는 것으로 보아야 한다고 판단하였다.[55]

〈원고 제품〉　　　　　　　　　〈피고 제품〉

○ 법원은 방송프로그램의 제목인 '토요일 토요일은 즐거워'와 그 줄임말인 '토토즐'이 영업표지인지가 문제된 사안에서, 해당 방송프로그램(토요일 토요일은 즐거워)의 방송기간이 11년 4개월, 방송 횟수는 500회 이상이고, 50% 이상의 시청률을 기록하기도 하는 등 방송기간 동안 높은 시청률을 유지한 점, 방송 종영 이후에도 TV 드라마, 신문기사 등에서 위 프로그램이 언급되는 경우가 많았으며 '토토즐'이란 호칭도 자주 사용된 점 등에 기초하여 '토토즐'은 거래자 또는 수요자에게 채권자의 방송프로그램 제작, 방송업을 연상시킬 정도로 현저하게 개별화되기에 이르러 채권자의 영업표지에 해당한다고 판단하였다.[56]

---

55) 대법원 2003. 11. 27. 선고 2001다83890 판결
   아래 사진은 최진원, 「디자인의 보호와 부정경쟁방지법」, 차세대콘텐츠재산학회, 디자인과 법, 121쪽에서 인용
56) 서울중앙지방법원 2015. 4. 13.자 2015카합80262 결정

한편, 영업표지 등은 단순히 영업내용을 서술적으로 표현하거나 통상의 의미로 사용하는 일상 용어이더라도 그것이 오랫동안 사용됨으로써 거래자 또는 수요자들에게 어떤 특정의 영업을 표시하는 것으로 널리 인식된 경우에는 부정경쟁방지법상 보호되는 영업표지에 해당한다. 또한 비록 상표법상 등록하지 못하는 상표 또는 서비스표라 하더라도 위와 같이 거래자 또는 수요자들에게 특정의 영업표지로 널리 인식된 경우에는 부정경쟁방지법의 보호대상이 된다.[57]

다. 국내에 널리 인식되어 있을 것

상품주체·영업주체 혼동행위는 국내에 널리 인식되어 있는, 즉 주지성을 획득한 상품표지·영업표지만을 보호한다. 앞에서 살펴본 것처럼 위 (가)목 및 (나)목의 부정경쟁행위의 성립에 요구되는 주지성은 국내의 일정한 지역적 범위 안에서 거래자 또는 수요자들 사이에서 알려진 정도이면 인정될 수 있고,[58] 이는 그 사용기간, 방법, 사용의 모습이나 형태, 거래범위(영업범위)와 그 상품거래(영업)의 실정 및 사회에서 통용되는 일반적인 상식상 객관적으로 널리 알려졌는지 등에 따라 판단된다.[59]

---

[57] 대법원 2011. 4. 28. 선고 2009도11221 판결
[58] 대법원 1980. 12. 9. 선고 80다829 판결
[59] 대법원 2005. 11. 25. 선고 2005도6834 판결

라. 동일하거나 유사한 상품·영업표지의 사용 등

상품주체·영업주체 혼동행위에 해당하기 위해서는 침해행위자가 상품표지·영업표지와 동일 또는 유사한 것을 사용하거나 이러한 것을 사용한 상품을 판매하는 등의 행위를 하여야 한다(후자는 상품주체 혼동행위의 경우에만 해당한다). 그런데 동일한 표지를 사용하는 것은 비교적 어렵지 않게 확인이 가능하지만, 어떠한 경우에 유사한 표지를 사용하는 것에 해당할까?

우선, 유사성 판단을 위해서는 대상 상품표지·영업표지의 외관, 호칭, 관념 등을 전체적·객관적·이격적으로 관찰해야 한다.

여기서 외관이 유사하다는 것은 문자, 기호, 도형, 입체적 형상, 색채 등 시각적 요인이 유사하여 서로 혼동하기 쉬운 것을 말한다.[60] 호칭은 특정 대상을 부르는 말로, 호칭이 유사하다는 것은 청각적 요인이 유사하여 혼동 가능성이 있는 것을 말한다. 관념이 유사하다는 것은 두 상품표지 등에서 직관적·객관적으로 떠오르는 의미나 생각 등이 서로 유사하여 혼동이 초래되는 것을 말한다.[61]

이해를 돕기 위해 아래에서 외관, 호칭, 관념의 유사성이 문제된 각 사례들을 소개한다.[62]

---

[60] 최정열·이규호, 앞의 책, 86쪽
[61] 참고로 법원은 일반적으로 '조어(造語)', 즉 상품 등을 지칭하기 위해 새롭게 만든 단어 등의 경우에는 관념이 존재하지 않는다고 보고 있다(대법원 1991. 5. 28. 선고 90후1338 판결 등).
[62] 특허심판원 심판정책과, 「표장 유사여부에 관한 상표판례요지집(2000~2011)」, 특허심판원 심판정책과(2012년)

	외관이 유사하다고 인정된 사례 (2003당2255, 2004허4877)	외관이 유사하지 않다고 본 사례 (2006허4642, 2006후2950)
외관	Hive / Hite	LB LANGBANG / LANVIN
	호칭이 유사하다고 인정된 사례 (2006허2950, 2006후2950)	호칭이 유사하지 않다고 본 사례 (2009허7505, 2010후517)
호칭	LB LANGBANG / LANVIN '랑방', '랭뱅' '랑벵', '랭벵'	자연속愛 / 자연애
	관념이 유사하다고 인정된 사례 (2008허9191, 2009후1149)	관념이 유사하지 않다고 본 사례 (2000허3173, 2001후577)
관념	장수 장 수 온	HITE 하이트 / HIT

관찰방식과 관련하여 전체적 관찰은 상품표지를 구성하는 특정 부분만을 구분·분리하여 관찰하는 것이 아니라 출처표시에 기여하는 일체의 자료에 기초하여 전체에서 느껴지는 일반 수요자의 심리를 기준으로 관찰하는 것이다.

법원은 도형, 문양, 문자, 기호, 색깔 등 여러 요소로 이루어진 상품표지가 문제된 사안에서, 전체적 관찰이란 '그 표지의 구성요소를 자의적으로 나누어 그 일부에만 초점을 두고 표지들의 유사 여부 내지 혼동 가능성을 판단하는 것이 아니라 상품의 출처를 표시함에 기여하고 있는 일체의 자료를 고려하여 그 표지가 수요자 내지 거래자에게 주는 인상, 기억, 연상 등을 종합적으로 관찰·비교하는 것'이라고 설명한 바 있다.[63] 전체적 관찰을 통해 상품표지 등의 유사성을 판단한 판결 내용들을 일부 소개하면 다음과 같다.

○ 말 혹은 사람 모양의 각 그림과 '대한익스프레스' 혹은 '대한 EXPRESS'의 문자가 결합된 피해자 회사의 각 등록 서비스표와 그중 문자 부분만을 이용한 피고인의 영업 상호의 유사성이 문제된 사안에서, 법원은 각 문자 부분에 있어서는 유사한 면이 있지만, 위 문자 부분 중 '대한'은 대한민국을 뜻하는 단어로서, '익스프레스(EXPRESS)'는 급행이나 속달을 뜻하는 영어 혹은 한글 표기로서 각 그 식별력이 없거나 미약한 경우에 해당하므로, 위 각 등록 서비스표 중 식별력이 있는 그림 부분이 들어 있지 않은 피고인의 영업 상호는 전체적으로 관찰할 때 위 각 등록 서비스표와는 외관은 물론, 호칭·관념에 있어서도 서로 달라 일반 수요자나 거래자로 하여금 상품 출처의 오인·혼동을 일으킬 염려가 있다고 보기 어렵다고 판단하였다.[64]

○ 피해자의 상품표지인 '리프리놀' 또는 'Lyprinol'과 다른 상품표지인 'Lipfeel', '리프트머셀'의 유사성이 문제된 사안에서, 법원은 위 각 상품표지는 일반 수요자나 거래자에게 하나의 단어로 인식될 것이므로 피해자의 상품표지와 피고인들의 각 상품표지의 유사 여

63) 대법원 2001. 2. 23. 선고 98다63674 판결
64) 대법원 2009. 9. 24. 선고 2009도4614 판결

부를 비교하기 위해서는 그 구성부분을 분리하지 아니하고 외관, 호칭, 관념을 전체적으로 비교·관찰하여야 하는데, 위 상품표지들은 한글이나 영문자로 된 문자표지로서 각기 그 글자수가 상이하여 외관이 서로 다르고, 피해자의 상품표지의 경우 4음절인 '리프리놀'로 호칭되는 반면 'Lipfeel'의 경우 2음절인 '립필'로 호칭되고 '리프트머셀'의 경우 5음절인 '리프트머셀'로 호칭될 것이므로 그 음절수 등이 달라 호칭이 서로 다르며, '리프리놀'과 'Lipfeel'은 특별한 의미가 없는 조어이고 '리프트머셀'은 그 의미가 '입술 달린 홍합'으로 일반적으로 알려진 단어가 아니어서 서로 그 관념을 대비할 수도 없으므로, 위 상품표지들 사이에 동일성 또는 유사성이 인정되지 않는다고 판단하였다.[65]

물론 전체적 관찰이 원칙이라고 하더라도, 상품표지가 외관상 또는 관념상 그 구성요소를 분리관찰하는 것이 부자연스럽다고 여겨질 정도로 불가분적으로 결합된 것이 아닌 한 수요자의 주의를 끄는 주요 부분을 분리하여 그 부분을 기준으로 유사 여부를 판단하는 이른바 분리관찰[66] 내지 요부관찰[67]도 보완적 수단으로 이루어져야 한다.[68] 예컨대, 법원은 "상품의 용기나 포장에 상표, 상호 또는 상품명 등 식

---

[65] 대법원 2011. 1. 13. 선고 2008도4397 판결
[66] 법원은 상표의 구성 부분 중 일부만에 의하여 간략하게 호칭·관념될 수 있다고 보기 어렵거나 해당 상표가 실제 거래사회에서 전체로서만 사용되고 인식되어져 있어 일부분만으로 상표의 동일성을 인식하기 어려운 경우에는 분리관찰이 적당하지 않다고 판단하였다(대법원 2005. 5. 27. 선고 2004다60584 판결).
[67] 여기에서 '요부(要部)'란 핵심적인 식별력을 가진 부분을 말한다.
[68] 대법원 2001. 2. 23. 선고 98다63674 판결

별력 있는 요소가 표시되어 있는 경우에는 그 부분이 지나치게 작다든가 제품설명서에만 기재되어 있는 등으로 특별히 눈에 띄지 않거나, 용기나 포장의 전체 구성에 비추어 현저히 그 비중이 낮다고 보여지는 경우가 아닌 한 그 상표나 상호, 상품명 등의 표기 부분은 상품표지로서의 용기나 포장의 주요 부분으로 보아 그 부분의 유사 여부 등도 고려하여 다른 표지와의 유사성 내지 혼동 가능성 여부를 판단하여야 한다."고 설명하고 있다.[69]

객관적 관찰은 특정인 등의 주관적 판단이 아닌 일반 수요자 또는 거래자의 관점에서 사회의 보편적인 기준(=사회통념)에 따라 관찰하는 것을 말한다.

마지막으로 이격적 관찰은 두 표지를 나란히 대비하는 것이 아니라, 때와 장소를 달리하여 일반 수요자 등이 표지를 혼동할 수 있는지 여부를 전제로 관찰하는 것을 말한다.[70]

위와 같은 전체적·객관적·이격적 관찰을 통해 두 개의 상품표지의 외관, 호칭, 관념 중 어느 하나가 형식적으로 유사하다고 판단되더라도, 거래사정을 감안하여 두 상품표지 사이에 혼동의 염려가 없다면 그 유사성 내지 혼동 가능성은 부정된다.[71] 즉, 상품표지 등의 유사성을 판단할 때에는 실질적으로 혼동 가능성(아래 마항에서 살펴볼 요건과 관련되어 있다)에 대한 판단까지 함께 이루어지게 된다.

구체적으로 살펴보면, 법원은 상표에 관한 사안에서 "외관·호칭 및

---

69) 대법원 2001. 2. 23. 선고 98다63674 판결
70) 정상조 대표편집, 「상표법주해」, 박영사(2018), 566쪽
71) 위 98다63674 판결

관념을 객관적·전체적·이격적으로 관찰하여 상품거래에서 일반 수요자나 거래자가 상표에 대하여 느끼는 직관적 인식을 기준으로 하여 상품 출처에 관하여 오인·혼동을 일으키게 할 우려가 있는지에 따라 판단하게 되고, 대비되는 상표 사이에 유사한 부분이 있다고 하더라도 당해 상품을 둘러싼 일반적인 거래실정, 즉 시장의 성질, 수요자의 재력이나 지식, 주의 정도, 전문가인지 여부, 연령, 성별, 당해 상품의 속성과 거래방법, 거래장소, 사후관리 여부, 상표의 현존 및 사용상황, 상표의 주지 정도 및 당해 상품과의 관계, 수요자의 일상 언어생활 등을 종합적·전체적으로 고려하여 그 부분만으로 분리인식될 가능성이 희박하거나 전체적으로 관찰할 때 명확히 출처의 혼동을 피할 수 있는 경우에는 유사성이 인정되지 않는다."고 설명한 바 있다.[72]

상품표지 등의 유사성이 문제된 다른 실제 사례들을 살펴보면 다음과 같다.

○ 미용실의 상호인 '블루컷'과 '블루클럽'의 유사성이 문제된 사안에서, 법원은 '블루컷'이나 '블루클럽' 모두 '블루'라는 단어로 인하여 '파란색'이라는 색채감이 느껴질 수도 있지만, 위 영업표지들의 구성부분 중 '컷'과 '클럽'은 그 의미가 서로 연관되어 있지 않은 단어이고, '블루'는 '컷'과 '클럽'을 수식하는 형용사인 점에 비추어 볼 때 '블루컷'과 '블루클럽'에서 느껴지는 색채감만으로 위 영

---

[72] 대법원 2011. 12. 27. 선고 2010다20778 판결

업표지들의 전체적인 관념이 유사하다고 보기는 어려우며, 외관도 서로 다를 뿐만 아니라, 두 영업표지는 3음절과 4음절로 되어 있어서 그 음절수가 다르고, 앞의 두 음절을 제외한 나머지 부분인 '컷'과 '클럽'의 청감 또한 많은 차이가 있어 그 호칭이 서로 유사하다고 할 수 없으므로, 위 영업표지들은 전체적으로 볼 때 동일·유사한 영업표지에 해당하지 않는다고 판단하였다.[73]

○ '신사복' 등의 상품에 사용된 피해자의 상품표지 'CAMBRIDGE MEMBERS'와 '셔츠' 등의 상품에 사용된 피고인들의 상품표지 'UNIVERSITY OF CAMBRIDGE'가 문제된 사안에서, 법원은 '캠브리지' 또는 'CAMBRIDGE'만으로 분리되어 호칭·관념될 경우에는 위 두 상품표지는 그 호칭 및 관념이 동일하고, 상품표지가 비교적 긴 단어로 구성되어 있어 전체로 호칭하기에 불편한 사정과 간이·신속하게 상품표지를 호칭하는 경향이 있는 거래실정 등을 고려하면 피고인들의 상품표지는 '캠브리지' 또는 'CAMBRIDGE'로 약칭될 가능성이 크다는 점 등을 이유로 위 두 상품표지가 서로 유사하다고 판단하였다.[74]

상품주체·영업주체 혼동행위는 동일 또는 유사한 상품표지를 사용하거나 이러한 것을 사용한 상품을 판매·반포 또는 수입·수출하는 경우, 동일 또는 유사한 영업표지를 사용하는 경우에 문제된다.[75] 여기

---

[73] 대법원 2005. 11. 25. 선고 2005도6834 판결
[74] 대법원 2006. 1. 26. 선고 2003도3906 판결
[75] 참고로, 상표법은 '상표의 사용'이란 ① 상품 또는 상품의 포장에 상표를 표시하는 행위, ② 상품 또는 상품의 포장에 상표를 표시한 것을 양도 또는 인도하거나 양도

서 사용 등은 상품표지나 영업표지를 출처표시의 기능으로 사용하는 것을 말한다.[76] 그러므로 출처표시와 무관하게 사용된 경우라면 위 (가)목 및 (나)목에서 말하는 사용 등에 해당하지 않는다.

예를 들어, '스타크래프트' 등과 같은 게임 내에서 어떤 플레이어가 게임맵(게임 플레이가 이루어지는 게임상의 공간)을 명품 브랜드의 상품표지와 동일 또는 유사한 모양으로 제작하여 다른 사람들과 그 게임맵에서 게임을 플레이하였다고 가정해 보자.

이는 일종의 패러디(parody)로 해당 게임맵의 출처가 명품 브랜드임을 나타내기 위한 것이 아니므로 위 상품주체·영업주체 혼동행위에서 말하는 '사용 등'에 해당하지 않을 가능성이 높다. 물론 실제로는 그와 같은 구분이 반드시 쉬운 것은 아니다.

이해를 돕기 위해 상품표지 등으로 사용되었는지 여부와 관련된 실제 사례들을 살펴보면 다음과 같다.

○ A사로부터 국내에서 'HELLO KITTY' 캐릭터를 상품화할 수 있는 독점권을 부여받은 B사가 자신이 운영하는 홈페이지에 'HELLO KITTY' 캐릭터가 부착 또는 표시된 상품의 이미지 바로 아래에 있는 상품 이름 앞에 '대장금', '장금', '주몽'이라는 표장을 표시한

또는 인도할 목적으로 전시·수출 또는 수입하는 행위, ③ 상품에 관한 광고·정가표 (定價表)·거래서류, 그 밖의 수단에 상표를 표시하고 전시하거나 널리 알리는 행위 중의 어느 하나에 해당하는 행위를 말한다고 규정하고 있다(상표법 제2조 제1항 제11호).

[76] 대법원 2012. 3. 29. 선고 2010다20044 판결

행위가 아래 각 등록상표의 상표권자인 방송사 C 등의 상표권을 침해하는 행위에 해당하는지 문제된 사안에서, 법원은 위 표장의 사용 모습이나 형태, 위 등록상표와 'HELLO KITTY' 표장의 주지 저명의 정도, B사의 의도와 위 표장의 사용 경위 등을 종합하면 전체적으로 B사가 홈페이지에서 광고·판매한 위 상품들의 출처가 甲 회사 또는 동일 상품화 사업을 영위하는 집단인 것으로 명확히 인식되고, '대장금' 등 표장은 상품에 부착 또는 표시된 'HELLO KITTY' 캐릭터가 C 방송사가 제작·방영한 드라마의 캐릭터로 알려진 '대장금', '주몽'을 형상화한 것임을 안내·설명하기 위한 것일 뿐 상품의 식별표지로서 사용되었다고는 볼 수 없으므로, '대장금' 등 표장이 상표로서 사용되었다고 볼 수 없다고 판단하였다.[77]

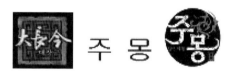

○ 한국교육개발원의 'EBS' 등록상표를 임의로 피고인이 발행한 국어 교재 표지에 부착하고 약 150부를 논술학원 수강생들에게 배포하여 문제된 사안에서, 법원은 위 교재의 앞표지와 세로표지에 표시되어 있는 'EBS' 표장은, EBS 방송강의의 교재로 사용되었다는 교재의 내용 또는 용도를 안내·설명하기 위한 것일 뿐 그 출처를 표시하는 상표로 사용된 것이라고 할 수 없다고 판단하였다.[78]

---

[77] 대법원 2012. 3. 29. 선고 2010다20044 판결
[78] 대법원 2011. 1. 13. 선고 2010도5994 판결

○ 법원은 피고인이 후지필름에서 생산되었다가 사용 후 회수된 1회용 카메라 몸체의 렌즈 둘레와 플래시 부분에 후지필름의 등록상표(FUJIFILM)가 새겨져 있음을 알면서도 이를 제거하거나 가리지 아니한 상태에서 그 몸체 부분을 'Miracle'이라는 상표가 기재된 포장지로 감싼 후 새로운 1회용 카메라를 생산하여 이를 판매한 사안에서, 비록 'Miracle'이라는 상표를 별도로 표시하였다거나 'FUJIFILM'이라는 상표가 'Miracle'이라는 상표보다 작거나 색상면에서 식별이 용이하지 아니하다고 할지라도 피고인은 그가 제작·판매하는 1회용 카메라에 후지필름의 위 등록상표를 상표로서 사용하였다고 보아야 할 것이라고 판단하였다.[79]

○ 가죽공방인 피고가 수강생들에게 원고 제품과 동일한 형태의 제품을 제작하는 행위를 교육한 사안에서, 법원은 피고가 해당 강좌를 홍보하는 블로그에 수강생들이 제작할 제품의 사진을 업로드 하였는데, 그 사진들 속의 제품들은 대부분 원고의 상품형태와 동일하고, 원고들 표장과 동일한 것을 부착하고 있는 점 등에 기초하여 피고는 수강생들에게 일반적인 공예방법만을 교육한 것이 아니라, 원고들 제품과 동일한 형태의 제품을 제작하는 행위를 교육하였다고 봄이 상당하고, 이는 피고가 직접 원고의 상품형태 및 원고들 표장과 동일한 것을 '사용'한 것과 동가치적인 것으로 평가할 수 있으므로, 피고의 위 교육행위는 원고들의 상품형태 및 원고들 표장과 동일한 것을 '사용'하는 것에 해당한다고 판단하였다.[80]

---

79) 대법원 2003. 4. 11. 선고 2002도3445 판결
80) 서울중앙지방법원 2020. 8. 14. 선고 2019가합577284 판결

마. 타인의 상품·영업 등과 혼동하게 하는 행위

상품주체·영업주체 혼동행위는 그 이름에서도 알 수 있는 것처럼 자신의 상품이나 영업을 타인의 상품이나 영업과 혼동하게 만드는 행위(즉, 실제로는 A사의 상품이 아닌데 A사의 상품인 것처럼 헷갈리게 만드는 행위)이다. 반드시 실제로 혼동을 일으켜야 하는 것은 아니고 혼동을 할 만한 구체적인 위험성이 존재하는 것으로 충분하다. 혼동될 가능성이 있는지 여부는 일반 거래자 및 수요자를 기준으로 판단된다.

타인의 상품 등과 혼동을 일으킬 가능성이 있는지 여부는 무엇을 기준으로 판단할 수 있을까? 법원은 그 기준으로 상품표지의 주지성과 식별력의 정도, 표지의 유사 정도, 사용의 모습이나 형태, 상품의 유사 및 고객층의 중복 등으로 인한 경업·경합관계의 존재 여부, 그리고 모방자의 악의(사용의도) 유무 등을 종합하여 판단하여야 한다고 설명하고 있다.[81]

타인의 상품, 영업상의 시설 또는 활동과 혼동을 하게 한다는 것은 상품표지·영업표지 자체가 동일하다고 오인하게 하는 경우뿐만 아니라, 타인의 상품표지·영업표지와 동일 또는 유사한 표지를 사용함으로써 일반 수요자나 거래자로 하여금 해당 상품표지·영업표지의 주체와 동일·유사한 표지의 사용자 간에 자본, 조직 등에 밀접한 관계가 있다고 잘못 믿게 하는 경우도 포함된다.[82]

---

[81] 대법원 2001. 4. 10. 선고 98도2250 판결
[82] 대법원 2011. 4. 28. 선고 2009도11221 판결(영업표지와 관련된 판결)

즉, 상품주체 또는 영업주체의 혼동은 주체의 동일성에 관한 좁은 의미의 혼동뿐만 아니라 양 상품주체 또는 영업주체 사이에 일정한 관계가 존재하는 것은 아닌가 하는 넓은 의미의 혼동까지 포함된다.[83)

일반적으로는 동일 또는 유사한 상품·영업 사이에서 혼동이 문제된다. 그렇지만 저명한 상품표지와 동일·유사한 상품표지를 사용하여 상품을 생산·판매하는 경우 비록 그 상품이 저명 상품표지의 상품(구두류)과 다른 상품(시계류)이라 하더라도, 한 기업이 여러 가지 이질적인 산업분야에 걸쳐 여러 가지 다른 상품을 생산·판매하는 것이 일반화된 현대의 산업구조에 비추어 일반 수요자들로서는 그 상품의 용도 및 판매거래의 상황 등에 따라 저명 상품표지의 소유자나 그와 특수관계에 있는 자에 의하여 그 상품이 생산·판매되는 것으로 인식하여 상품의 출처에 혼동을 일으킬 수가 있으므로 부정경쟁행위가 성립할 수 있다.[84)

한편, 상품이 판매되었을 당시 구매자는 그 출처를 혼동하지 않았으나 구매자로부터 상품을 양수하거나 구매자가 지니고 있는 상품을 본 제3자 등 일반 수요자의 관점에서 상품주체·영업주체를 혼동할 우려가 있는 경우에도 이러한 상품표지를 사용하거나 상품표지를 사용한 상품을 판매하는 등의 행위는 '타인의 상품과 혼동하게 하는 행위'에 해당한다.[85)

---

83) 서울지방법원 2003. 8. 7. 선고 2003카합1488 판결
84) 대법원 2000. 5. 12. 선고 98다49142 판결
85) 대법원 2012. 12. 13. 선고 2011도6797 판결

구체적으로 법원은 다음과 같은 사례들에서 혼동 가능성을 인정하였다.

⭕ 식품포장용 랩(WRAP) 상품인 '새론 그린랩(GREEN WRAP)'의 상품표지가 문제된 사안에서, 법원은 동종상품인 '크린랩(CLEAN WRAP)'의 상품표지가 '새론 그린랩'의 판매 당시 국내의 일반 수요자들에게 특정한 품질을 가지는 특정 출처의 상품임을 연상시킬 정도로 개별화되어 자타상품의 식별기능을 가지게 된 점, '크린랩'과 '새론 그린랩' 상품의 포장용기 모양(직육면체 상자 모양)이 유사하고 포장용기의 각 면에 표시된 글자부분의 모양, 크기, 위치, 글자색 및 호칭이 극히 유사한 점 등을 근거로 '새론 그린랩'의 상품표지는 동종상품인 '크린랩'의 상품표지와 유사하고 혼동을 일으키는 것으로서 부정경쟁방지법에 위반된다고 판단하였다.[86]

⭕ '캐주얼 의류 및 스포츠 의류' 등에 관하여 국내에 널리 인식된 피해자 회사의 상품표지인 'BANG BANG, 뱅뱅'과 동일·유사한 'BAENG BAENG, 뱅뱅', 'BANG BANG, 뱅뱅' 등의 표장을 부착한 악력기, 스텝퍼, 줄넘기, 훌라후프 등을 제조하여 판매한 행위에 대하여, 법원은 위 행위가 타인의 상품과 혼동을 하게 하는 부정경쟁행위에 해당한다고 보았다.[87]

⭕ 피해자의 상호인 '코리안숯불닭바베큐'와 피고인들의 상호인 '코리안촌닭숯불바베큐', '코리아닭오리숯불바베큐'가 문제된 사안에서,

---

[86] 대법원 2001. 4. 10. 선고 98도2250 판결
[87] 대법원 2007. 4. 27. 선고 2006도8459 판결

법원은 피고인들의 상호는 '촌닭'과 '닭오리'를 '숯불' 앞에 배치한 것 외에는 피해자의 상호와 의미가 거의 같고, '코리아'와 '코리안'은 발음이 비슷하여 그 구분도 하기 어려운 점, 피고인들이 위 각 상호로 수십 개에 달하는 가맹점을 개설하여 영업하면서 피해자와 유사한 방법으로 닭을 가공한 음식을 판매하고 있는 점, 피해자와 피고인들의 고객층도 대부분 중복되는 것으로 보이는 점 등에 기초하여 피고인들의 상호 사용은 피해자의 영업표지와 혼동하게 하는 부정경쟁행위에 해당한다고 판단하였다.[88]

○ 법원은 국내에 주지·저명한 표지인 '티파니(TIFFANY)'와 동일·유사한 표지 '하이티파니(HiTIFFANY)'를 무단 사용하여 명품 브랜드점 분양사업을 하는 행위가 상품주체·영업주체 혼동행위, 저명상품 희석행위에 해당한다고 판단하였다.[89]

○ 미국 딜러로부터 채권자의 애스턴마틴(ASTON MARTIN) 스포츠카를 수입하여 국내에 판매하는 병행수입업자(=채무자)가 채권자의 등록상표와 동일 또는 유사한 표장을 자신의 영업표지로 사용한 사안에서, 채무자의 위와 같은 행위는 일반 수요자로 하여금 병행수입업자가 외국 본사의 공식 대리점인 것처럼 오인하게 하는 것으로서 영업주체 혼동행위에 해당한다고 판단하였다.[90]

○ 부동산 관련 정보를 제공하는 잡지인 '주간 부동산뱅크'의 제호를 피고인의 부동산소개업소의 상호로 사용하여 '부동산뱅크 공인중개

---

[88] 대법원 2011. 4. 28. 선고 2009도11221 판결
[89] 서울지방법원 2003. 8. 7. 선고 2003카합1488 판결
[90] 서울중앙지방법원 2015. 2. 9.자 2014카합80753 결정

사'라고 표기하고 '체인지정점'이라고 부기한 사안에서, 법원은 피고인의 위와 같은 행위가 영업주체 혼동행위로서 부정경쟁방지법에 위반된다고 판단하였다.[91]

반면, 법원은 다음과 같은 경우에는 혼동 가능성을 부정하였다.

○ 법원은 천식 치료제(타원형 흡입기)의 형태가 문제된 사안에서, 원고의 흡입기는 둥근 디스크 형상으로 상단 측면이 움푹 파인 형상인 반면 피고의 흡입기는 타원형의 달걀 형상으로 바닥 부분이 평평한 점, 원고 제품과 피고 제품은 모두 환자의 건강에 직접적인 영향을 줄 수 있는 전문의약품으로서 환자들이나 그 보호자 등이 이들 제품을 약국에서 구매하기 위해서는 원칙적으로 의사의 처방을 받아야만 하는 거래환경을 참작해 보면 이들 제품의 수요자들이 가지고 있는 주의력은 다른 보통 상품의 경우보다 훨씬 크다고 보아야 하는 점, 원고들의 일방적인 의뢰로 실시한 설문조사 결과 원고 흡입기와 피고 흡입기를 혼동하는 국내 의사의 비율은 28.4%로 나타났는데 이와 같은 혼동 비율은 부정경쟁행위에 해당하기 위한 '혼동 가능성' 요건을 충족하였다고 보기에 충분한 비율은 아닌 점 등의 이유로 원고 흡입기와 피고 흡입기의 형태가 서로 유사하다고 할 수 없고, 피고들이 피고 흡입기를 사용하여 피고 제품을 판매하는 행위에 일반 수요자들로 하여금 원고 흡입기가 사용된 원

---

91) 대법원 1997. 12. 12. 선고 96도2650 판결

고 제품과 사이에 상품의 출처에 관하여 혼동을 하게 할 가능성이 없다고 판단하였다.[92]

〈원고 흡입기〉

〈피고 흡입기〉

○ 차돌박이 전문점 프랜차이즈인 '이차돌'과 이와 유사한 '일차돌' 표장이 문제된 사안에서, 법원은 '이차돌' 표장은 국내에 널리 알려져 있음은 인정되나, 숫자로 인식될 수 있는 글자인 '이' 또는 '일'과 '차돌'을 결합하거나 4개의 글자로 구성된 한자를 부가하는 등의 표장 조합방식의 유사성만으로는 일반 수요자나 거래자가 출처의 오인·혼동을 일으킬 우려가 있다거나 채권자 매장(이차돌)과 채무자 매장(일차돌)이 서로 영업적으로 관련있는 것으로 오인·혼동할 우려가 있다고 보기 어렵다고 판단하였다.[93]

○ 법원은 가정용 비전기식 정수기 등을 생산하는 피해업체가 특정 상표(A)를 등록하여 이를 상품표지로 사용하고 있는데 피고인 및 피고인 주식회사가 피고인들이 제조, 생산·판매하는 필터, 이온수

---

92) 서울고등법원 2016. 3. 31. 선고 2015나2049390 판결
93) 서울중앙지방법원 2018. 10. 23. 선고 2018카합157 결정

기 등의 물품을 선전·광고하면서 위 A상표와 함께 'A호환필터'라는 영업표지를 사용한 사안에서, 피고인들이 자사 제품을 광고하면서 'A호환필터'임을 명시하였고, 피해업체가 제조한 필터를 다른 회사의 고급형 필터라고 표시하면서 자신들이 제조한 필터와 비교하여 설명하기도 한 점, 일반 소비자 또한 호환되는 필터 제품임을 충분히 알 수 있는 점, 다른 제품들의 경우에도 호환되는 부속용품이 적법하게 판매되고 있는 점 등에 기초하여 혼동 가능성이 없다고 판단하였다.[94]

○ 법원은 '내가 제일 잘 나가'라는 제목의 투애니원(2NE1)의 노래를 작사·작곡한 신청인이 '나가사끼 짬뽕'이라는 이름의 라면을 생산·판매하면서 '내가 제일 잘 나가사끼 짬뽕'이라는 문구를 사용하여 위 라면에 관한 광고를 한 피신청인을 상대로 부정경쟁행위의 금지를 구한 사안에서, ① 위 노래 제목은 국내 가요시장의 수요자 또는 거래자들 사이에 알려진 지 1년 정도밖에 되지 않았고 일반인이 일상생활에서 흔히 사용하는 문구이므로 그 식별력이 강하다고 보기는 어려운 점, ② 피신청인이 사용하고 있는 위 광고 문구는 위 노래 제목에다가 '사끼 짬뽕' 부분을 결합한 것이기는 하지만 위 라면 고유의 상품표지인 ''을 포함하고 있기도 하므로 위 노래 제목과 위 광고 문구를 전체적·이격적으로 관찰하였을 때 서로 유사하다고 단정하기 어려운 점, ③ 신청인의 상품(대중가요)과 피신청인의 상품(라면)이 서로 유사하다거나 고객층

---

94) 인천지방법원 부천지원 2017. 11. 9. 선고 2017고정712 판결

이 중복된다고 보기 어려운 점 등을 종합하면, 비록 피신청인이 위 광고 문구를 사용할 때에 위 노래의 인기를 이용하려는 의도가 어느 정도 엿보인다 하더라도 그것만으로 일반 소비자들로 하여금 신청인의 상품과 피신청인의 상품 사이에 혼동을 일으키게 할 우려가 있다고 보기는 어렵다고 판단하였다.[95]

---

[95] 서울중앙지방법원 2012. 7. 23.자 2012카합996 결정

4

저명상표 희석

가. 기본 설명

저명상표 희석행위(부정경쟁방지법 제2조 제1호 다목)는 정당한 사유 없이 저명상표(상품표지·영업표지)와 동일 또는 유사한 것을 사용하거나 이를 사용한 상품을 판매하는 등의 방법으로 저명상표의 식별력이나 명성을 손상[96]하는 행위를 말한다. 해당 조문의 내용은 다음과 같다.

> 다. 가목 또는 나목의 혼동하게 하는 행위 외에 비상업적 사용 등 대통령령으로 정하는 정당한 사유 없이 국내에 널리 인식된 타인의 성명, 상호, 상표, 상품의 용기·포장, 그 밖에 타인의 상품 또는 영업임을 표시한 표지(타인의 영업임을 표시하는 표지에 관하여는 상품 판매·서비스 제공방법 또는 간판·외관·실내장식 등 영업제공장소의 전체적인 외관을 포함한다)와 동일하거나 유사한 것을 사용하거나 이러한 것을 사용한 상품을 판매·반포 또는 수입·수출하여 타인의 표지의 식별력이나 명성을 손상하는 행위

---

[96] 이를 '희석화(dilution)'라고 한다.

위 (다)목에 해당하기 위해서는 ① 타인의 상품표지·영업표지가 저명한 것(조문상으로는 '국내에 널리 인식된')으로서 ② 위 상품표지·영업표지와 동일 또는 유사한 것을 사용하거나 이러한 것을 사용한 상품을 판매·반포 또는 수입·수출하여 ③ 타인의 표지의 식별력이나 명성을 손상하는 경우이어야 하고, ④ 비상업적 사용 등 그 행위에 정당한 사유가 존재하지 않아야 한다. 이하에서 각 요건별로 살펴보기로 한다.

나. 상품표지·영업표지의 저명성

위 (다)목의 규정은 앞서 본 상품주체·영업주체 혼동행위(가목 및 나목)와 마찬가지로 '국내에 널리 인식된'이라고만 규정하고 있지만, 저명상표 희석행위에서는 '저명의 정도'에 이르러야만 '국내에 널리 인식'된 것으로 인정된다. 그리고 이러한 '저명성'은 특정 상품표지·영업표지가 관계 거래자 외에 일반 공중의 대부분에까지 널리 알려지게 되었을 때 인정될 수 있다.[97]

저명성을 획득하였는지 여부는 주지성 판단과 마찬가지로 그 사용기간·방법·사용의 모습 및 형태·사용량·영업범위 등과 그 영업의 실정 및 사회에서 통용되는 일반적인 상식상 객관적으로 널리 알려졌느냐의 여부 등이 기준이 된다.[98]

---

[97] 대법원 2017. 11. 9. 선고 2014다49180 판결
[98] 대법원 2006. 1. 26. 선고 2004도651 판결

다. 동일하거나 유사한 상품·영업표지의 사용 등

위 요건에 대해서는 앞서 본 상품주체·영업주체 혼동행위 부분에서 이미 설명하였으므로 다시 반복하지는 않는다.

라. 식별력이나 명성의 손상

먼저 '식별력'을 손상시키는 행위란, 특정 상품 또는 영업과 관련하여 사용되는 것으로 널리 알려진 표지를 그 특정 상품 또는 영업과 다른 상품 또는 영업에 사용함으로써 그 표지의 신용, 고객흡인력 등을 실추시키거나 희석화하는 등 출처표시로서의 식별기능을 훼손하는 행위, 즉 상품이나 영업을 식별(distinguish)하게 하고 그 출처를 표시(identify)하는 저명상표의 힘(식별력, 단일성, 독특함, 명성 등)이나 기능을 감소하게 하는 행위를 말한다.[99]

예를 들어, '아우디(Audi)'는 유명 독일 자동차 제조사(아우디 아게)의 브랜드인데, 누군가가 '아우디 청국장', '아우디 부대찌개' 등의 상호로 프랜차이즈 음식점을 운영한다고 생각해 보자. 일반 거래자나 수요자가 위 매장들을 아우디 아게가 운영하는 것으로 오인할 가능성은 거의 없겠지만, 위 프랜차이즈 매장이 늘어난다면 '아우디'라는 출처표시의 식별력("아우디?" → "아! 그 독일차 브랜드!")이 손상될 수밖에 없을 것이다("아우디?" → "그 삼성동에 있는 청국장집?").

다음으로 '명성'을 손상시키는 행위란, 타인의 상품표지 등을 품질

---

99) 대법원 2004. 5. 14. 선고 2002다13782 판결
서울중앙지방법원 2018. 10. 4. 선고 2016가합36473 판결

이 조악하거나 저가의 상품에 사용하여 또는 저급의 영업에 사용하여 해당 표지의 명성을 손상시키는 행위를 말한다.[100]

판결 중에는 '명성의 손상'을 '특정한 표지의 좋은 이미지나 가치를 훼손하는 것'이라고 설명한 것도 있다.[101] 예컨대, 앞서 본 예에서 '아우디(Audi)'라는 표지를 누군가가 불법 도박사이트 등에 사용한다면 위 표지가 갖는 양질(good quality)의 느낌과 신뢰가 훼손될 수밖에 없고, 이러한 행위가 바로 위 (다)목에서 말하는 명성을 손상시키는 행위에 해당할 것이다.

식별력이나 명성의 손상이 문제된 실제 사례들을 살펴보면 다음과 같다.

○ 법원은 식별력의 손상은 저명한 상품표지가 다른 사람에 의하여 영업 표지로 사용되는 경우에도 생긴다고 전제한 뒤, 저명상표인 'viagra'와 유사한 'viagra.co.kr'이라는 도메인이름의 사용이 부정경쟁방지법상 상품주체 혼동행위(가목)에는 해당하지 않지만 저명상표 희석행위(다목)에는 해당한다고 판단하였다.[102]

○ 명품 패션 브랜드인 'BURBERRY(버버리)'라는 원고(버버리 리미티드)의 저명상표를 피고가 '버버리 노래'라는 노래방 상호로 사용한 사안에서, 법원은 피고의 위 행위가 원고의 저명상표(BURBERRY)의

---

100) 특허청 산업재산보호과, 「부정경쟁방지 업무 해설서」, 특허청(2004), 38~39쪽
101) 대전고등법원 2010. 8. 18. 선고 2010나819 판결
102) 대법원 2004. 5. 14. 선고 2002다13782 판결

식별력이나 명성을 손상하는 행위로서 부정경쟁행위에 해당한다고 판단하였다.[103]

○ 법원은 화장품의 제조·판매업을 영위하는 피고가 쿠션화장품을 생산·판매하면서 그 전면 또는 표면 중 약 2/3 가량에 '루이비통(Louis Vuitton)' 브랜드의 LV 모노그램 등의 상품표지를 사용한 사안에서, 해당 상품표지가 국내에 널리 알려진 주지·저명한 상품표지로서 강력한 식별력을 가지고 있는 점, 피고는 위 쿠션화장품 등 제품을 광고하면서 '피지 잡는 수분 쿠션 ○○○○백 품은 조이'라는 광고문구를 사용하여 원고의 상호·상표를 직접적으로 인용하였는데 피고가 사용한 위 광고문구를 보더라도 해당 상품표지와 유사한 형태를 사용하여 그 인지도에 편승하려는 피고의 의도를 추단할 수 있는 점, 원고 제품과 같이 소량 제작되어 소수의 소비자만이 구매하는 고가의 명품 제품은 그 상품의 명성·이미지 등이 중요한 구매동기이자 재산적 가치를 형성하는 핵심 요소인데, 해당 상품표지와 유사한 상표들이 위 쿠션화장품 등 제품과 같이 시중에서 통상적으로 유통되는 제품들에 흔히 사용된다면 해당 상품표지의 명품, 고급의 이미지, 가치가 훼손되어 수요자들이 해당 상품표지의 제품의 구입을 회피하거나 최소한 꺼리게 될 것임은 쉽게 짐작할 수 있는 점 등을 종합하여 피고의 행위가 저명상표 희석행위에 해당한다고 판단하였다.[104]

---

[103] 대전고등법원 2010. 8. 18. 선고 2010나819 판결
[104] 서울중앙지방법원 2018. 10. 4. 선고 2016가합36473 판결

한편, 위 사례들을 통해서도 확인되는 것처럼, 저명상표 희석행위는 상품주체·영업주체 혼동행위와는 달리 저명상품 등을 동종 또는 유사의 상품·영업(또는 경쟁관계에 있는 상품·영업)에 사용하지 않더라도 성립할 수 있다.

위와 같은 식별력이나 명성의 손상행위에 해당하는 표지의 사용은 '상업적 사용'을 의미하는 것으로, 상품 또는 영업임을 표시하는 표지로 사용하는 것이 아니라면 저명상표 희석행위(다목)에서 정하는 식별력 또는 명성의 손상행위에 해당하지 않는다. 같은 이유에서 법원은 도메인이름의 양도에 대한 대가로 금전 등을 요구하는 행위는 도메인이름을 상품 또는 영업임을 표시하는 표지로 사용한 것이라고는 할 수 없어서 저명상표 희석행위(다목)에 해당하지 않는다고 판단하였다.[105)]

마. 정당한 사유가 존재하지 않을 것

위에서 살펴본 요건들을 모두 갖춘 행위라고 하더라도 부정경쟁방지법 시행령 제1조의2 각호에서 정하고 있는 정당한 사유가 있는 때에는 저명상표 희석행위에 해당하지 않는다.

이를 구체적으로 살펴보면, ① 비상업적으로 사용하는 경우, ② 뉴스보도 및 뉴스논평에 사용하는 경우, ③ 타인의 성명, 상호, 상표, 상품의 용기·포장, 그 밖에 타인의 상품 또는 영업임을 표시한 표지

---

105) 대법원 2004. 2. 13. 선고 2001다57709 판결

가 국내에 널리 인식되기 전에 그 표지와 동일하거나 유사한 표지를 사용해온 자(그 승계인을 포함)가 이를 부정한 목적 없이 사용하는 경우, ④ 그 밖에 해당 표지의 사용이 공정한 상거래 관행에 어긋나지 않는다고 인정되는 경우가 정당한 사유로 인정된다.

위 정당한 사유들 중 비상업적 사용(①)은 경제적 이익 추구와 관련이 없는 형태의 사용(예컨대, 공익활동 등)을 말한다. 뉴스보도 및 뉴스논평에의 사용(②)은 말 그대로 저명상표와 관련된 뉴스의 보도 등을 위해 해당 상표를 인용하는 경우 등을 말한다. 선사용자의 사용(③)은 어떤 상품표지·영업표지가 저명해지기 전부터 이를 부정한 목적 없이 자신의 상품표지 등으로 사용해 온 경우를 말한다.

예를 들어, '루이비통(Louis Vuitton)'이라는 명품 패션 브랜드가 사람들에게 널리 알려지기 전 동네에서 '루이비통 세탁소'를 운영하고 있던 경우 등이 이에 해당할 수 있다. 물론 선사용자라고 하더라도 타인의 상품표지·영업표지가 저명해진 후 해당 표지를 새로운 상품이나 영업에 확대하여 사용하는 것까지는 허용되지 않는다(위 예시에서 '루이비통 세탁소' 외에 '루이비통 의류점'을 새롭게 개설하는 행위 등).[106]

마지막으로 그 밖에 해당 표지의 사용이 공정한 상거래 관행에 어긋나지 않는다고 인정되는 경우(④)는 보충적 일반조항(catch-all clause)으로, 공정한 거래질서를 해치거나 경쟁자나 거래자, 수요자 등의 정당한 이익을 해치는 것으로 평가되지 않는 범위 내에서 상품표지 등을 사용하는 것을 의미한다고 해석된다.

---

[106] 최정열·이규호, 앞의 책, 149쪽

이는 개별적 사안에서 해당 표지의 사용 모습이나 형태, 사용량, 거래범위 그리고 사용자의 악의 등을 종합적으로 고려하여 사회에서 통용되는 일반적인 상식에 비추어 공정한 상거래 관행에 어긋나는지 여부(즉, 위 ④의 정당한 사유가 있는지 여부)를 판단할 수밖에 없을 것이다.

5

원산지·생산지·품질 오인 유발행위

가. 기본 설명

원산지·생산지·품질 오인 유발행위(부정경쟁방지법 제2조 제1호 라목, 마목, 바목)는 거짓 표지 등을 사용한 상품이나 광고 등을 통해 일반 거래자나 수요자로 하여금 실제와 다른 원산지·생산지·품질로 오인하게 만드는 행위를 말한다. 여기서 원산지는 상품이 채취·생산·제조·가공된 지역을 말하고, 생산지는 상품이 생산·제조·가공된 곳을 말하는데 실질적으로는 원산지와 동일한 개념에 해당한다.

해당 조문의 내용은 다음과 같다.

라. 상품이나 그 광고에 의하여 또는 공중이 알 수 있는 방법으로 거래상의 서류 또는 통신에 거짓의 원산지의 표지를 하거나 이러한 표지를 한 상품을 판매·반포 또는 수입·수출하여 원산지를 오인(誤認)하게 하는 행위
마. 상품이나 그 광고에 의하여 또는 공중이 알 수 있는 방법으로 거래상의 서류 또는 통신에 그 상품이 생산·제조 또는 가공된 지역 외의 곳에서 생산 또는 가공된 듯이 오인하게 하는 표지를 하거나

이러한 표지를 한 상품을 판매·반포 또는 수입·수출하는 행위

바. 타인의 상품을 사칭(詐稱)하거나 상품 또는 그 광고에 상품의 품
질, 내용, 제조방법, 용도 또는 수량을 오인하게 하는 선전 또는 표
지를 하거나 이러한 방법이나 표지로써 상품을 판매·반포 또는 수
입·수출하는 행위

위 (라)목에 해당하기 위해서는 ① 상품이나 그 광고에 의하여 또
는 공중이 알 수 있는 방법으로 거래상의 서류 또는 통신에 허위의
원산지의 표지를 하거나 ② 허위의 원산지 표지를 한 상품을 판매·
반포 또는 수입·수출하여 원산지를 오인하게 만드는 경우이어야 한
다. 위 (마)목에 해당하려면 ① 상품이나 그 광고에 의하여 또는 공중
이 알 수 있는 방법으로 거래상의 서류 또는 통신에 생산지(상품이 생
산·제조 또는 가공된 지역)를 오인하게 하는 표지를 하거나 ② 이러한
표지를 한 상품을 판매·반포 또는 수입·수출하는 경우이어야 한다.

위 요건들에서도 확인되는 것처럼, 위 (라)목은 허위의 표시를 요구
하지만 위 (마)목은 허위표시가 아닌 오인·혼동을 유발하는 표시를
요구하고 여기에는 허위표시도 포함되므로 위 (마)목의 적용범위가
더 넓다.[107]

마지막으로 위 (바)목에 해당하기 위해서는 ① 타인의 상품을 사칭
하거나 ② 상품 또는 그 광고에 품질, 내용, 제조방법, 용도 또는 수

---

107) 대법원 1999. 1. 26. 선고 97도2903 판결은 허위의 원산지 표지를 사용한 사안에
서 위 (마)목을 적용할 수 있다고 판단하였다.

량을 오인하게 하는 선전 또는 표지를 하거나 ③ 위와 같은 방법이
나 표시로써 상품을 판매·반포 또는 수입·수출하는 경우이어야 한다.

위 (라)목 내지 (바)목은 모두 '상품'에 대하여 적용되는 것이다. 원
산지나 생산지의 개념에 비추어 위 상품은 물품 등 유체물(有體物)을
의미하고, 서비스 또는 영업은 여기에 포함되지 않는다.[108]

이하에서 위 (라)목 내지 (바)목에 해당하기 위한 주요 요건들을 살
펴보자.

나. 원산지 허위표시

위 (라)목은 원산지의 허위표시 및 이러한 허위표시를 한 상품의
판매 등을 금지한다. 여기서 '원산지의 허위표시'는 말 그대로 상품
등에 사실과 다른 원산지를 표시하는 것을 말한다.[109] 예를 들어, 미
국에서 수입한 냉동육(등심 부위)을 '한우(국내산) 등심'이라고 표시하는
것 등을 말한다. 이는 반드시 완성된 상품의 원산지만에 관한 것은
아니고, 거래통념에 비추어 상품 원료의 원산지가 중요한 의미를 가
지는 경우에는 그 원료의 원산지를 허위로 표시하는 것도 이에 포함
된다.[110]

---

108) 사법연수원, 앞의 책, 16쪽
109) 원산지 허위표시의 경우에는 '농수산물의 원산지 표시에 관한 법률' 위반 등도 문
제될 수 있다. 예컨대, 같은 법 제6조 제1항은 '(농수산물의) 원산지 표시를 거짓으
로 하거나 이를 혼동하게 할 우려가 있는 표시를 하는 행위' 등을 금지하고 있다.
110) 대법원 2002. 3. 15. 선고 2001도5033 판결

○ 법원은 중국산 대마 원사를 수입하여 안동에서 만든 삼베 수의제품에 '신토불이(身土不二)' 등의 표기를 한 사안에서, 이는 삼베 원사의 원산지를 허위로 표시하여 일반 수요자나 거래자로 하여금 위 수의가 안동에서 생산된 대마로 만든 삼베 수의인 것처럼 원산지의 오인을 일으키게 하는 행위로서 부정경쟁방지법에 위반되는 행위라고 판단하였다.[111]

위와 같은 원산지의 허위표시는 상품 그 자체 또는 광고를 통해 표시가 이루어지거나 공중이 알 수 있는 방법으로 거래상의 서류(주문서, 송장 등) 또는 통신(전화, 이메일 등)에 표시되었을 때 부정경쟁행위(라목)가 된다. 거래상의 서류 또는 통신의 경우에는 보통 거래당사자들 사이에 수발신 또는 송수신이 이루어지는 것이므로, 이를 일반 공중이 알 수 있도록 하는 경우에만 원산지 허위표시에 해당한다.

검은 양이 상품 등에 직접 허위의 원산지 표시를 하지는 않았지만, 허위의 원산지 표지를 한 상품을 판매·반포 또는 수입·수출하는 경우에도 위 (라)목의 부정경쟁행위가 된다. 중국에서 수입된 중국산 고구마에 '미국산'이라고 허위의 원산지 표시가 되어 있었는데, 이러한 사정을 알면서 위 고구마를 수입하는 경우 등이 이에 해당한다. 수입·수출의 경우, 원산지를 허위로 표시한 상품을 수입 또는 수출하는 시점에 부정경쟁행위가 성립하고, 수입 또는 수출 이후에 실제로 위 상품이 해당 지역에서 판매·반포 등을 통해 유통되어야만 하는 것은 아니다.[112]

---

111) 대법원 2002. 3. 15. 선고 2001도5033 판결
112) 최정열·이규호, 앞의 책, 153쪽

다. 생산지 오인 유발행위

위 (마)목은 생산지를 오인하게 만드는 표지를 하거나 이러한 표지를 한 상품을 판매하는 등의 행위를 하였을 때 성립한다. 그렇다면 어떤 표지가 생산지에 관한 오인·혼동을 유발하는 것으로 평가될까?

생산지에 관한 오인 유발은 거래 상대방이 실제로 오인에 이르러야만 인정되는 것은 아니고, 일반적인 거래자, 즉 평균인의 주의력을 기준으로 거래관념상 사실과 다르게 이해될 위험성이 있으면 인정된다. 그리고 이러한 오인을 일으키는 표지에는 직접적으로 상품에 관하여 허위의 표시를 하는 것(=중국에서 제조된 로봇청소기에 'Made in U.S.A.'라고 표시하는 것)은 물론, 간접적으로 상품에 관하여 위와 같은 오인을 일으킬만한 암시적인 표시를 하는 것(=중국에서 제조된 로봇청소기를 성조기가 크게 인쇄되어 있고 상품명 등이 모두 영어로만 기재되어 있는 박스에 담아 판매하는 것)도 포함된다.[113] 이해의 편의를 돕기 위해 실제 문제된 사례들을 살펴보자.

○ 'DESIGNED BY ITALY'라는 표지가 부착된 청바지(A제품)와 'TEX U.S.A.', 'DESIGNED BY U.S.A.'라는 표지가 부착된 티셔츠(B제품)의 생산지 오인 유발 등이 문제된 사안에서, 법원은 위 각 제품은 각 외국의 의류 디자인을 모방한 것일 뿐 외국에서 제조·디자인되거나, 그 제조방법 내지 디자인방법과 관련하여 외국과의 기술제휴계약 또는 외국의 상표권 사용계약 등이 체결된 바 없는 점, A제

---

113) 대법원 1999. 1. 26. 선고 97도2903 판결

품은 제조원의 표시 없이 판매원이 영문자인 'B.M. JEAN KOREA' 로만 표시되어 있고, 그 위에 "본 제품은 ITALY의 DESIGN으로 제조된 제품입니다"라고 기재되어 있는 점, B제품에는 제조원 및 판매원이 영문자인 'Kakalee'로만 표시되어 있는 점 등에 기초하여 위 각 표지가 일반 수요자로 하여금 그 표지가 부착된 의류의 제조 내지 디자인 지역, 즉 제조 가공지의 오인을 일으키게 하는 표지에 해당한다고 판단하였다. 또한 법원은 이탈리아나 미국은 일반적으로 의류 제조·디자인 분야에서 선진국으로 인식되고 있는 점 등에 비추어 위 각 표지는 그 표지가 부착된 의류의 디자인이 선진국의 디자인 방법에 의하여 이루어진 것으로, 즉 그 제조 가공 방법에 관하여 오인을 불러일으키는 표지에 해당한다고도 판단하였다.114)

○ '초당' 이외의 지역에서 생산하는 두부제품에 '초당' 표지를 사용할 수 있는지가 문제된 사안에서, 법원은 '초당'이 바닷물을 직접 간수로 사용하여 특별한 맛을 지닌 두부를 생산하는 지역의 명칭에 해당한다고 보아 '초당' 이외의 지역에서 생산하는 두부제품에 '초당'을 사용하는 행위가 상품의 생산, 제조, 가공 지역의 오인을 일으키는 것에 해당한다고 판단하였다.115)

위 (마)목의 다른 요건들은 앞서 살펴본 (라)목의 요건들과 중복되므로, 필요한 경우 해당 부분을 참고하기로 하고 여기에서 다시 설명

---

114) 대법원 1999. 1. 26. 선고 97도2903 판결
115) 대법원 2006. 1. 26. 선고 2004도5124 판결

하지는 않는다.

라. 자유무역협정에 따라 보호되는 지리적 표시

위 (라)목 및 (마)목의 부정경쟁행위와 관련해서는 부정경쟁방지법
에 조금 특별한 규정이 있기에 간략히 살펴본다. 부정경쟁방지법 제3
조의2(자유무역협정에 따라 보호하는 지리적 표시의 사용금지 등)가 바로 그
것이다. 해당 조문의 내용을 살펴보면 다음과 같다.

제3조의2(자유무역협정에 따라 보호하는 지리적 표시의 사용금지 등)

① 정당한 권원이 없는 자는 대한민국이 외국과 양자간(兩者間) 또는
　다자간(多者間)으로 체결하여 발효된 자유무역협정에 따라 보호하
　는 지리적 표시(이하 이 조에서 "지리적 표시"라 한다)에 대하여는
　제2조 제1호 라목 및 마목의 부정경쟁행위 이외에도 지리적 표시
　에 나타난 장소를 원산지로 하지 아니하는 상품(지리적 표시를 사
　용하는 상품과 동일하거나 동일하다고 인식되는 상품으로 한정한
　다)에 관하여 다음 각호의 행위를 할 수 없다.

　1. 진정한 원산지 표시 이외에 별도로 지리적 표시를 사용하는 행위
　2. 지리적 표시를 번역 또는 음역하여 사용하는 행위
　3. "종류", "유형", "양식" 또는 "모조품" 등의 표현을 수반하여 지
　　리적 표시를 사용하는 행위

② 정당한 권원이 없는 자는 다음 각호의 행위를 할 수 없다.

　1. 제1항 각호에 해당하는 방식으로 지리적 표시를 사용한 상품을
　　양도·인도 또는 이를 위하여 전시하거나 수입·수출하는 행위
　2. 제2조 제1호 라목 또는 마목에 해당하는 방식으로 지리적 표시

를 사용한 상품을 인도하거나 이를 위하여 전시하는 행위

③ 제1항 각호에 해당하는 방식으로 상표를 사용하는 자로서 다음 각
호의 요건을 모두 갖춘 자는 제1항에도 불구하고 해당 상표를 그
사용하는 상품에 계속 사용할 수 있다.

1. 국내에서 지리적 표시의 보호개시일 이전부터 해당 상표를 사용
하고 있을 것

2. 제1호에 따라 상표를 사용한 결과 해당 지리적 표시의 보호개시
일에 국내 수요자 간에 그 상표가 특정인의 상품을 표시하는 것
이라고 인식되어 있을 것

위 규정은 '대한민국이 외국과 양자간(兩者間) 또는 다자간(多者間)으
로 체결하여 발효된 자유무역협정(무역 관련 지적재산권에 관한 협정,[116]
한·미 FTA 등)에 따라 보호하는 지리적 표시'에 대하여 적용된다. 자유
무역협정에 따라 보호되는 지리적 표시(=특정 지리적 표시)에 대해서는
앞서 본 원산지 허위표시(라목) 또는 생산지 오인 유발행위(마목)에 해
당하지 않더라도, 특정 지리적 표시에 나타난 장소를 원산지로 하지
않는 상품(즉, 프랑스 보르도산 와인이 아닌 국내산 와인 등)에 관하여 정당
한 권원 없이 ① 진정한 원산지 표시 이외에 별도로 특정 지리적 표
시를 사용하는 행위(=국내산 와인에 '프랑스산 와인'이라고 표시하는 행위
등), ② 특정 지리적 표시를 번역 또는 음역하여 사용하는 행위(=국내
산 와인에 프랑스 'Bordeaux' 지역의 음역인 '보르도' 명칭을 사용하는 행위 등),

---

[116] Agreement on Trade-Related Aspects of Intellectual Property Rights. 'TRIPs'라고도
한다.

③ 종류, 유형, 양식 또는 모조품 등의 표현을 수반하여 특정 지리적 표시를 사용하는 행위(=국내산 와인에 '프랑스 보르도 스타일 와인' 등으로 표시하는 행위 등)가 금지된다.

뿐만 아니라, 정당한 권원이 없는 자는 ⓐ 위와 같이 금지되는 표시를 사용한 상품을 양도·인도 또는 이를 위하여 전시하거나 수입·수출하는 행위, ⓑ 원산지 허위표시(라목) 또는 생산지 오인 유발행위(마목)에 해당하는 표시를 사용한 상품을 인도하거나 이를 위하여 전시하는 행위를 하는 것도 금지된다.

물론 여기에는 예외도 있다. 위와 같이 금지되는 방식(위 ① 내지 ③)으로 상표를 사용하는 자라고 하더라도 ⓐ 국내에서 특정 지리적 표시의 보호개시일 이전부터 해당 상표를 사용하고 있었고, ⓑ 그 결과 해당 특정 지리적 표시의 보호개시일에 국내 수요자 간에 그 상표가 특정인의 상품을 표시하는 것이라고 인식되어 있었다면, 이러한 경우에는 해당 상표를 그 사용하는 상품에 계속 사용할 수 있다.

마. 품질 등 오인 유발행위

위 (바)목은 타인의 상품인 것처럼 사칭(詐稱)하거나 상품 또는 그 광고[117]에 상품의 속성과 성분 등 품질, 급부의 내용, 제조·가공방법,

117) 허위 선전 등의 경우에는 '표시·광고의 공정화에 관한 법률' 위반 등도 문제될 수 있다. 예컨대, 같은 법 제3조 제1항은 사업자 등은 소비자를 속이거나 소비자로 하여금 잘못 알게 할 우려가 있는 표시·광고 행위로서 공정한 거래질서를 해칠 우려가 있는 거짓·과장의 표시·광고 등의 행위를 하거나 다른 사업자 등으로 하여금 하게 하여서는 안 된다고 규정하고 있다.

효능과 사용방법 등의 용도, 수량 등에 관하여 일반 소비자로 하여금 오인을 일으키는 허위나 과장된 내용의 표지를 하거나 그러한 표지를 한 상품을 판매하는 등의 행위를 금지한다.[118]

구체적으로 살펴보면, 타인의 상품을 사칭한다는 것은 말 그대로 자신의 상품을 타인의 상품인 것처럼 수요자에게 속이는 것을 말한다. 타인이 제조한 상품을 자신이 제조한 상품인 것처럼 표시하여 판매하는 경우도 여기에 포함된다.[119] 상품의 품질을 오인하게 한다는 것은 낮은 등급의 제품(1등급 소고기)을 높은 등급의 제품(1++등급 소고기)으로 오인하게 만드는 경우 등을 말하고, 상품의 내용을 오인하게 한다는 것은 수입산 제품을 국내산 제품이라고 속이는 경우 등을 말한다. 상품의 제조·가공방법을 오인하게 한다는 것은 공장에서 대량으로 생산된 제품을 수공예품인 것처럼 오인하게 하는 경우 등을 의미한다. 상품의 용도를 오인하게 한다는 것은 의약품이 아닌 것을 의약품처럼 오인하게 만드는 경우 등을 말하고, 상품의 수량을 오인하게 한다는 것은 상품의 무게나 양을 오인하게 만드는 경우 등을 말한다.

품질 등 오인 유발행위가 문제된 실제 사례들을 살펴보면 다음과 같다.

○ 화장품 제조·판매업자인 피고가 비누·화장품 등을 제조·판매하는 일본회사인 원고와 사이에 체결한 원고 비누의 수입·판매를 위한

---

[118] 대법원 1992. 2. 29.자 91마613 결정
[119] 부산지방법원 2016. 6. 30. 선고 2015노4546 판결

총판계약이 종료된 후에도 원고의 상표와 동일·유사한 상표를 부착한 화장품을 판매한 사안에서, 법원은 피고가 홈페이지나 인터넷 사이트에 자신의 화장품을 광고하면서 원고의 등록상표와 유사한 표지를 기재하거나 원고 제품명이 기재된 광고 문구를 기재하여 광고한 점, 피고 화장품을 실제 구입한 소비자나 유통한 해외 판매업자도 원고가 새로 출시한 제품으로 오인한 점 등에 기초하여, 피고는 자신의 제품에 원고의 등록상표를 부착하고, 마치 원고가 출시한 신제품인 것처럼 선전행위를 하는 방법으로 피고 화장품을 원고 제품인 것으로 사칭하였다고 판단하였다.[120]

○ 법원은 협회의 인증표시가 문제된 사안에서, 본래부터 품질을 보증하는 정부기관의 인증이 아니더라도 전국적인 운동협회 등이 운동용품에 대하여 부여하는 인증은 일반 수요자들에게 품질에 대한 실질적인 보증의 효과를 줄 수 있어 그 협회 등의 허락을 받지 않고 자신의 운동용품 등의 상품에 그 인증표지를 하는 행위는 부정경쟁방지법 제2조 제1호 (바)목의 부정경쟁행위에 해당한다고 판단하였다. 다만, 법원은 위와 같은 일반론과는 별개로 해당 사안에서 피신청인이 연합회와 자신의 제품을 '인정구'로 승인하는 계약을 체결하였고, 연합회가 승인한 공의 종류가 인정구와 공인구로 나뉜다고 하더라도 일반적으로 '승인된'이라는 의미의 영문단어 'approved'나 '공식적인'이라는 의미의 영문단어 'official'이 포함된 표시가 피신청인의 족구공의 품질을 오인하게 한다고 보기에는 부족하다

---

[120] 서울중앙지방법원 2015. 7. 24. 선고 2014가합515705 판결

는 등의 이유로 피신청인이 위 (바)목의 부정경쟁행위를 한 것으로 인정하지 않았다.[121]

◎ 법원은 다른 회사의 가스레인지 제품 형태 등을 복제·모방한 제품의 판매가 문제된 사안에서, 타인이 생산·판매하는 상품과 동일한 형태의 상품을 제조·판매하는 행위는 부정경쟁방지법 제2조 제1호 (바)목에서 말하는 상품에 품질 등의 오인을 일으키는 표지를 하거나 이러한 표지를 한 상품을 판매 등을 하는 행위에 해당하지 않는다고 판단하였다.[122]

◎ 법원은 피고들이 일본에서 다이어트 보조식품을 판매하는 원고가 사용하는 상품표지 'なかったコトに!'의 국문 번역에 해당하는 '없었던 일로'를 피고들 제품에 부착하여 판매한 것이 문제된 사안에서, 피고들 상표 '없었던 일로'는 5음절의 한글표장이고 원고 상표는 'なかったコトに!' 7글자의 일본어이므로 양 표장은 외관과 호칭이 전혀 다르고, 양 상표는 동일한 의미이나 국내의 일본어 보급수준을 고려할 때 일반 수요자가 원고 상표를 보고 곧바로 그 의미를 직감할 수 있다고 하기 어려우므로 양 상표가 유사한 상품에 사용된다 하더라도 국내 수요자들이 그 상품의 출처에 관하여 오인·혼동을 일으키게 할 우려는 없어 (바)목의 부정경쟁행위에 해당하지 않는다고 판단하였다.[123]

---

[121] 대법원 2007. 10. 26.자 2005마977 결정
[122] 대법원 1992. 2. 29.자 91마613 결정
[123] 서울중앙지방법원 2016. 9. 30. 선고 2015가합510981 판결

6

대리인의 무단사용

가. 기본 설명

대리인의 무단사용 행위(부정경쟁방지법 제2조 제1호 사목)는 파리협약 등에 따라 등록된 상표 또는 이와 유사한 상표에 관한 권리를 가진 자의 대리인 등이 정당한 사유 없이 해당 상표를 그 상표의 지정상품과 동일하거나 유사한 상품에 사용하거나 그 상표를 사용한 상품을 판매하는 등의 행위를 말한다. 위 부정경쟁행위는 우리나라가 파리협약 제6조의7 제2호[124])를 수용하기 위해 부정경쟁방지법에 반영되었

---

124) 공업소유권의 보호를 위한 파리 협약

제6조의7 상표: 소유권자의 허가를 받지 않은 대리인 또는 대표자의 명의의 등록

1. 하나의 동맹국에서 상표에 관한 권리를 가진 자의 대리인 또는 대표자가 그 상표에 관한 권리를 가진 자의 허락을 얻지 아니하고 1 또는 2 이상의 동맹국에서 자기의 명의로 그 상표의 등록을 출원한 경우에는 그 상표에 관한 권리를 가진 자는 등록에 대하여 이의 신청 또는 등록의 취소 또는 그 국가의 법령이 허용하는 경우에는 등록을 자기에게 이전할 것을 청구할 수 있다. 다만, 그 대리인 또는 대표자가 그 행위를 정당화하는 경우에는 예외로 한다.
2. 상표에 관한 권리를 가진 자는 위 1항의 규정에 따를 것을 조건으로 그가 허락을 하지 않는 경우에 그 대리인 또는 대표자가 그의 상표를 사용할 것을 저지할 권리를 가진다.
3. 상표에 관한 권리를 가진 자가 본 조에 정하는 권리를 행사할 수 있는 적절한 기간은 국내법령으로 정할 수 있다.

다. 해당 조문의 내용은 다음과 같다.

> 사. 다음의 어느 하나의 나라에 등록된 상표 또는 이와 유사한 상표에
> 관한 권리를 가진 자의 대리인이나 대표자 또는 그 행위일 전 1년
> 이내에 대리인이나 대표자이었던 자가 정당한 사유 없이 해당 상
> 표를 그 상표의 지정상품과 동일하거나 유사한 상품에 사용하거나
> 그 상표를 사용한 상품을 판매·반포 또는 수입·수출하는 행위
> (1) 「공업소유권의 보호를 위한 파리협약」(이하 "파리협약"이라 한
>   다) 당사국
> (2) 세계무역기구 회원국
> (3) 「상표법 조약」의 체약국(締約國)

위 (사)목에 해당하기 위해서는 ① 파리협약 당사국, 세계무역기구
회원국, 상표법 조약의 체약국에 등록된 상표 또는 이와 유사한 상표
에 관한 권리에 관하여 ② 그 권리자의 (i) 대리인이나 대표자 또는
(ii) 문제되는 행위일 전 1년 이내에 대리인이나 대표자였던 자가 ③
정당한 사유 없이 ④ 해당 상표를 그 상표의 지정상품과 동일하거나
유사한 상품에 사용하거나 그 상표를 사용한 상품을 판매·반포 또는
수입·수출하는 경우이어야 한다. 이하에서 각 요건별로 살펴보기로
한다.

나. 파리협약 당사국 등에 등록된 상표 또는 이와 유사한 상표에 관한 권리자

위 (사)목은 파리협약 당사국 등에 등록된 상표 또는 이와 유사한

상표에 관한 권리에 적용된다. 파리협약 당사국인지 여부는 세계지적재산권기구(WIPO)의 홈페이지[125]에서, 상표법 조약의 체약국인지 여부도 마찬가지로 세계지적재산권기구(WIPO)의 홈페이지[126]에서, 세계무역기구(WTO) 회원국인지 여부는 세계무역기구(WTO)의 홈페이지[127]에서 확인할 수 있다.

대리인의 무단사용 행위는 등록상표뿐만 아니라 해당 국가에서 등록상표와 동일한 수준으로 보호받는 미등록상표에 대해서도 적용된다.[128] 위 (사)목의 근거가 되는 파리협약 제6조의7 역시 상표에 관한 권리자를 등록된 상표권자가 아닌 'the proprietor of a mark(상표의 소유자·권리자)'라고만 규정하고 있다.

다. 대리인 또는 대표자

위 (사)목에서 '대리인 또는 대표자'는 상표에 관한 권리를 가진 자로부터 그를 대신하여 법률행위를 할 수 있는 권한을 수여받은 자(대리인) 또는 그 법인의 대표자를 말한다. 일반적으로 상표에 관한 권리를 가진 자의 그 상표를 사용하는 상품을 수입하여 판매·광고하는 대리점, 특약점, 위탁판매업자, 총대리점 등이 이러한 대리인 또는 대표

---

125) "Paris Convention for the Protection of Industrial Property", WIPO 홈페이지, 2021년 1월 28일 접속
https://www.wipo.int/treaties/en/ip/paris/
126) "Trademark Law Treaty(TLT)", WIPO 홈페이지, 2021년 1월 28일 접속
https://www.wipo.int/treaties/en/ip/tlt/index.html
127) "Members and Observers", WTO 홈페이지, 2021년 1월 28일 접속
https://www.wto.int/english/thewto_e/whatis_e/tif_e/org6_e.htm
128) 특허청 정책연구(세종대학교 산학협력단), 앞의 책, 79쪽

자에 해당한다.[129)]

법률상 대리권 또는 대표권이 인정되기 위해서는 일정한 형식이나 요건 등이 요구되는데, 위 (사)목에서 말하는 대리인 또는 대표자는 법률상 대리권 또는 대표권을 가진 자에 엄격하게 한정되는 것은 아니고, 해당 국가의 상표에 관한 권리를 가진 자를 위하여 해당 상표 제품을 판매하는 등 상대방의 신뢰에 반하지 않도록 성의 있게 행동할 의무(즉, 신의성실에 따라 행동할 의무로 신의성실은 영어로는 'good faith'라고 번역된다)가 있다고 생각되는 거래당사자를 포함하는 것으로 해석된다.[130)]

위 (사)목의 '대리인 또는 대표자'에는 문제된 부정경쟁행위 당시 대리인 또는 대표자 지위에 있었던 사람뿐만 아니라, 위 부정경쟁행위[131)]로부터 1년 전까지의 시간적 범위에 대리인 또는 대표자 지위에 있었던 사람도 포함된다.

라. 정당한 사유 없이 해당 상표를 사용하는 행위 등

대리인의 무단사용 행위는 정당한 사유 없이 파리협약 당사국 등의 상표를 그 상표의 지정상품과 동일하거나 유사한 상품에 사용하거나 그 상표를 사용한 상품을 판매·반포 또는 수입·수출할 때에 문제된

---

129) 대법원 2003. 4. 8. 선고 2001후2146 판결
130) 최정열·이규호, 앞의 책, 167쪽
131) 여기서 '행위일'은 부정경쟁행위의 판단을 요하는 개개의 행위가 '시작된 날'이 아닌 실제로 그 행위가 '행해진 날'을 의미한다(서울고등법원 2011. 10. 27.자 2011 라1080 결정).

다. 여기서 '지정상품'의 개념에 대해서 간략히 설명하면, 상표등록을 출원(出願)[132]할 때에는 그 상표가 어떤 상품을 위하여 사용될 것인지 지정하여 신청하여야 하는데(상표법 제36조 제1항 제4호 등), 그와 같은 지정된 상품을 '지정상품'이라 하고, 등록상표의 효력이 미치는 상품의 범위는 상표등록출원 시 기재한 위 지정상품에 따라 정해진다. 상표권자는 지정상품에 관하여 그 등록상표를 사용할 권리를 독점하는 것이기 때문이다(상표법 제89조).

상표를 사용한다는 것은 상표법에 따르면 상품 또는 상품의 포장에 상표를 표시하는 행위, 상품 또는 상품의 포장에 상표를 표시한 것을 양도 또는 인도하거나 양도 또는 인도할 목적으로 전시·수출 또는 수입하는 행위, 상품에 관한 광고·정가표(定價表)·거래서류, 그 밖의 수단에 상표를 표시하고 전시하거나 널리 알리는 행위 등을 말한다(상표법 제2조 제1항 제11호). 위 (사)목에서는 상표를 그 상표의 지정상품과 동일하거나 유사한 상품에 사용하는 것 외에 상표를 사용한 상품을 판매·반포 또는 수입·수출하는 행위를 금지되는 행위로 명시하고 있기도 하다.

위 (사)목의 부정경쟁행위에 해당하려면 정당한 사유가 존재하지 않아야 하는데, 어떠한 사유가 정당한 사유가 될까? 법문상 명확하지는 않으나 위 (사)목이 상표에 관한 권리자와 그 대리인 또는 대표자 사이의 관계에서 신뢰관계의 파괴를 방지하고자 대리인 또는 대표자(또는 과거에 대리인 또는 대표자였던 자)의 행위를 규제하는 규정인 만

---

[132] 상표법 등에서 사용되는 용어로 실질적으로 '신청'과 같은 의미이다. 즉, 상표등록 출원은 특허청에 상표등록을 신청하는 것을 말한다.

큼[133] 대리인이나 대표자의 상표 사용 등이 권리자와의 신뢰관계에 반하지 않는 것으로 볼 수 있는 특별한 사정이 존재한다면(이 책의 표현방식을 빌리자면 대리인이나 대표자가 '검은 양'이 아니라면) 이를 위 (사)목에서 말하는 정당한 사유로 볼 수 있을 것이다.

이는 개별적인 사안별로 판단될 수밖에 없는 부분이지만 대리인이나 대표자가 해당 상표 등을 사용할 수 있다고 믿을 만한 권리자의 행위 등이 있었던 경우, 권리자가 해당 상표에 관한 권리를 포기하였다고 믿을 만한 사정이 있었던 경우 등을 생각해 볼 수 있을 것이다.

---

[133] 서울고등법원 2011. 10. 27.자 2011라1080 결정

7

도메인이름 사용
(사이버스쿼팅, Cybersquatting)

가. 기본 설명

도메인이름 사용행위(부정경쟁방지법 제2조 제1호 아목)는 정당한 권원이 없는 자가 국내에 널리 인식된 타인의 상표 등과 동일하거나 유사한 도메인이름을 해당 상표 등 표지에 대하여 정당한 권원이 있는 자 또는 제3자에게 판매하거나 대여할 목적 등으로 등록·보유·이전 또는 사용하는 행위를 말한다. 인터넷 공간의 주소에 해당하는 도메인이름을 투기나 판매 목적으로 선점하는 행위를 사이버스쿼팅(cybersquatting)이라고 하는데, 위 (아)목은 이를 규제하기 위하여 도입되었다.[134]

해당 조문의 내용은 다음과 같다.

> 아. 정당한 권원이 없는 자가 다음의 어느 하나의 목적으로 국내에 널리 인식된 타인의 성명, 상호, 상표, 그 밖의 표지와 동일하거나 유사한 도메인이름을 등록·보유·이전 또는 사용하는 행위

---

[134] 유명한 사례로는 미국에서 '월스트리트닷컴(wallstreet.com)' 도메인을 한화 약 7만 원에 등록하였던 사람이 5년 만에 이를 한화 약 10억 원에 판매하였던 사건이 있었다.

(1) 상표 등 표지에 대하여 정당한 권원이 있는 자 또는 제3자에게 판매하거나 대여할 목적

(2) 정당한 권원이 있는 자의 도메인이름의 등록 및 사용을 방해할 목적

(3) 그 밖에 상업적 이익을 얻을 목적

위 (아)목에 해당하기 위해서는 ① 정당한 권원이 없으면서도 ② 국내에 널리 인식된 타인의 성명, 상호, 상표, 그 밖의 표지와 동일하거나 유사한 도메인이름을 ③ 부정한 목적(ⓐ 상표 등 표지에 대하여 정당한 권원이 있는 자 또는 제3자에게 판매하거나 대여할 목적, ⓑ 정당한 권원이 있는 자의 도메인이름의 등록 및 사용을 방해할 목적, ⓒ 그 밖에 상업적 이익을 얻을 목적 중 하나의 목적)으로 등록·보유·이전 또는 사용하는 경우이어야 한다. 이하에서 각 요건별로 살펴보기로 한다.

나. 도메인이름

도메인이름(domain name)은 인터넷 공간의 주소로, 우리가 일상적으로 웹브라우저의 주소창에 입력하는 주소(예컨대, 'www.barunlaw.com' 등)를 말한다. 인터넷상에서 원하는 웹사이트(정확히는 해당 웹사이트를 서비스하는 서버)를 찾기 위해서는 여러 숫자로 구성되는 있는 IP 주소(IP address)를 알아야 하지만, 도메인이름을 IP 주소로 변환하여 주는 도메인네임 시스템(DNS, Domain Name System)을 통해 우리는 입력 및 암기가 훨씬 용이한 도메인이름을 통해 원하는 웹사이트 등을 찾을 수 있게 된다.

도메인이름에 관한 법률적 정의를 살펴보면, 부정경쟁방지법 제2조 제4호는 도메인이름을 '인터넷상의 숫자로 된 주소에 해당하는 숫자·문자·기호 또는 이들의 결합'이라고 정의하고 있고, 인터넷주소자원에 관한 법률[135] 제2조 제1호 (나)목은 도메인이름을 '인터넷에서 인터넷 프로토콜 주소를 사람이 기억하기 쉽도록 하기 위하여 만들어진 것'이라고 정의하고 있다.

참고로, 도메인이름과 관련된 분쟁에 대해서는 국제인터넷주소관리기구(ICANN)[136]가 제정한 '통일 도메인이름 분쟁해결정책(UDRP)'[137]이라는 것이 존재한다. 다만, 법원은 위 분쟁해결정책이 등록기관의 행정절차에 관한 규정에 불과할 뿐, 상표 등에 관한 권리와 도메인이름의 등록·사용 등에 관한 실체적 권리관계를 규율하여 법원을 구속하는 것은 아니라고 판단하고 있다.[138]

다. 국내에 널리 인식된 타인의 성명 등과 동일하거나 유사할 것

위 (아)목은 모든 도메인이름을 규제하는 것이 아니라 국내에 널리 인식된 타인의 성명, 상호, 상표, 그 밖의 표지와 동일하거나 유사한 도메인이름을 규제한다. 국내에 널리 인식되었다는 것은 앞서 상품주

---

135) 이하 '인터넷주소법'이라고 한다.
136) Internet Corporation for Assigned Names and Numbers
137) Uniform Domain-Name Dispute-Resolution Policy
아래 홈페이지에서 그 전문을 확인할 수 있다.
"통일 도메인이름 분쟁 해결 정책", ICANN 홈페이지, 2021년 1월 30일 접속
https://www.icann.org/resources/pages/policy-2012-02-25-ko
138) 대법원 2008. 2. 1. 선고 2004다72457 판결

체·영업주체 혼동 초래행위에서 설명한 주지의 정도(즉, 국내의 일정한 지역적 범위 안에서 거래자 또는 수요자들 사이에서 알려진 정도)에 이른 것을 말한다.

도메인이름은 어떤 때에 타인의 성명, 상호, 상표, 그 밖의 표지와 동일하거나 유사한 것으로 평가될까? 이에 대해서도 상품주체·영업주체 혼동 초래행위에서 살펴본 동일성·유사성 판단의 기준을 대부분 그대로 적용할 수 있을 것이다. 즉, 문제된 도메인이름과 타인의 성명, 상호, 상표 등 표지의 외관, 호칭, 관념 등을 전체적·객관적·이격적으로 관찰하여 유사한지 여부를 판단하여야 한다. 도메인이름의 경우 그 특성상 문자(주로 알파벳)와 기호로만 구성될 수 있으므로 비교 대상이 한정적이라는 점 역시 고려되어야 한다. 아직 위 (아)목이 문제된 사례가 많지는 않으나, 문제된 실제 사례를 살펴보면 다음과 같다.

○ 법원은 원고의 도메인이름 'herts.com'과 세계 최대 차량임대회사인 피고의 저명 등록상표인 'HERTZ'의 유사성이 문제된 사안에서, 위 도메인이름에서 '.com'은 기업 등을 의미하는 일반 최상위 도메인임을 나타내는 문자이므로 그 식별력을 인정하기 어렵고, 위 도메인이름에서 식별력 있는 주요 부분은 'herts'라 할 것인데, 'herts'와 등록상표인 'HERTZ(hertz)'는 그 발음이 '허츠'로 동일하고, 알파벳 철자 하나만 다를 뿐 외관도 거의 동일하다 할 것이므로, 위 도메인이름을 웹브라우저에 입력하는 일반인들로서는 그 차이를 인식함이 없이 위 도메인이름을 피고의 영문 상호 및 등록상표 등과 동일한 명칭으로 혼동할 가능성이 매우 크다고 할 것이므로,

위 도메인이름이 피고의 영업표지와 전체적으로 유사하다고 판단
하였다.[139]

라. 등록·보유·이전 또는 사용하는 행위

도메인이름의 경우, 특정 도메인이름을 원하는 사람 또는 회사가
인터넷주소관리기관(우리나라의 경우 현재 한국인터넷진흥원) 또는 등록대
행자를 통해 등록을 마친 후 해당 도메인이름을 보유하면서 영업 등
을 위하여 이를 사용하거나 이를 제3자에게 이전하게 된다. 그리고
위 (아)목은 위와 같은 등록·보유·이전 또는 사용 행위를 모두 규제
한다.

마. 부정한 목적

도메인이름 사용행위가 성립하려면 행위자에게 위 (아)목에서 열거
하고 있는 부정한 목적이 존재하여야 한다. 위 (아)목이 열거하고 있
는 부정한 목적은 ① 상표 등 표지에 대하여 정당한 권원이 있는 자
또는 제3자에게 판매하거나 대여할 목적, ② 정당한 권원이 있는 자
의 도메인이름 등록 및 사용을 방해할 목적, ③ 그 밖에 상업적 이익
을 얻을 목적의 세 가지이다.

위 ① 내지 ③의 목적이 어떠한 경우에 인정될 수 있는지 가상의
사례를 통해 살펴본다.

---

139) 광주지방법원 2008. 7. 17. 선고 2007가합11141, 2008가합6375 판결

애플사에서 차세대 스마트폰을 '유어폰(YourPhone)'이라는 상품명으로 출시하기로 계획하고 상표등록까지 마쳤다고 가정해 보자. 이때 검은 양이 위 사실을 알게 되어 위 상품표지와 동일('www.YourPhone.com') 또는 유사('www.YouPhone.com')한 도메인이름을 선점한 뒤 이를 애플사에게 높은 가격에 팔려고 한다면, 이에 대해서는 위 ①의 목적이 인정될 수 있다. 또한 검은 양이 애플사와 경쟁관계에 있어서 경쟁사업자인 애플사가 '유어폰(YourPhone)'이라는 도메인이름을 등록 및 사용하는 것을 방해하기 위해 동일한 도메인이름을 의도적으로 먼저 등록하였다면, 이에 대해서는 위 ②의 목적이 인정될 수 있다. 마지막으로, 검은 양이 세계적인 스마트폰 제조사인 애플사의 '유어폰(YourPhone)'이 갖는 인지도에 편승하여 자기의 사업(스마트폰 케이스 판매)에 이용할 생각으로 동일 또는 유사한 도메인이름을 등록 및 사용하였다면, 이에 대해서는 위 ③의 목적이 인정될 수 있다.[140)]

○ 법원은 앞서 본 'herts.com'이라는 도메인이름이 문제된 사안에서, ① 원고가 위 도메인이름을 취득하기 전에 자동차 임대관련 사업이나 그와 유사한 사업을 영위한 적이 없는 사실, ② 원고가 위 도메인이름을 등록한 이후 같은 도메인이름으로 개설한 웹사이트는 자동차 대여업체 검색 및 링크서비스를 제공하면서 'Hertz Car Rental', 'Hertz' 등을 주요 메뉴로 구성함과 동시에 피고의 공식 홈페이지인 'Hertz.com'로 링크할 수 있도록 하였고, 나아가 피고

[140)] 이러한 행위는 상품주체·영업주체 혼동 초래행위(가목 및 나목), 저명상표 희석행위(다목) 등에도 해당할 수 있을 것이다.

의 경쟁사인 에이비스(AVIS), 알라모(ALAMO) 등의 웹사이트로 연결되도록 링크 서비스를 제공한 사실, ③ 원고는 피고가 위 도메인이름에 관하여 의무적 행정절차 개시신청을 하자, 그 무렵부터 위 웹사이트 운영을 중단하고, 영국의 하트퍼드셔 지역 소개 사이트로 변경한 사실 등에 기초하여, 원고가 위 도메인이름을 정당한 권원이 있는 피고의 도메인이름의 등록 및 사용을 방해할 목적 또는 같은 도메인이름을 이용하여 상업적 이익을 얻을 목적으로 위 도메인이름을 등록하여 보유하고 있다고 인정하였다.[141]

참고로, 인터넷주소법도 부정한 목적으로 도메인이름 등을 등록하는 행위를 금지하고 있다. 이를 구체적으로 살펴보면, 인터넷주소법 제12조 제1항은 "누구든지 정당한 권원이 있는 자의 도메인이름 등의 등록을 방해하거나 정당한 권원이 있는 자로부터 부당한 이득을 얻는 등 부정한 목적으로 도메인이름 등을 등록·보유 또는 사용하여서는 아니 된다."고 규정하고 있고, 같은 조 제2항은 "정당한 권원이 있는 자는 제1항을 위반하여 도메인이름 등을 등록·보유 또는 사용한 자가 있으면 법원에 그 도메인이름 등의 등록말소 또는 등록이전을 청구할 수 있다."고 규정하고 있다.

---

[141] 광주지방법원 2008. 7. 17. 선고 2007가합11141, 2008가합6375 판결

바. 정당한 권원이 없을 것

도메인이름 사용행위는 정당한 권원 없는 자의 행위를 금지하고 있으므로 도메인이름 사용에 정당한 권원을 가진 자에 대해서는 위 (아)목을 적용할 수 없다.

그렇다면 어떤 경우에 정당한 권원이 있는 것으로 인정될 수 있을까? 대표적으로는 해당 도메인이름과 관련된 성명, 상호, 상표에 관한 권리(상표권 등)를 보유하고 있는 경우 등을 생각해 볼 수 있다.

8

상품형태 모방
(데드카피, Dead Copy)

가. 기본 설명

　상품형태 모방행위(부정경쟁방지법 제2조 제1호 자목)는 타인이 제작한 상품의 형태를 모방한 상품을 양도·대여 또는 이를 위한 전시를 하거나 수입·수출하는 행위를 말한다. 상품형태 모방행위(자목)는 도메인이름 사용행위(아목)와 마찬가지로 부정경쟁방지법이 2004년 개정되면서 신설되었다(법률 제7095호, 2004. 1. 20. 일부 개정된 것).

　위 (자)목의 입법취지에 관하여 법원은 "상품형태 모방행위를 부정경쟁행위로 규정한 취지는 스스로 상품형태를 개발하여 상품화한 사람이 투자한 비용과 노력을 회수하기 위하여 필요한 기간(상품의 형태가 갖추어진 날로부터 3년) 동안 그 투자비용을 회수하는 것을 용이하게 하고 상품화에 대한 유인을 높이기 위해 다른 사람이 비용과 노력을 투자하지 않고 그 상품형태를 모방하는 것을 규제하는 데에 있다."고 설명하고 있다.[142]

　해당 조문의 내용은 다음과 같다.

---

[142] 대전지방법원 2017. 9. 14. 선고 2016가합107145 판결

자. 타인이 제작한 상품의 형태(형상·모양·색채·광택 또는 이들을 결합한 것을 말하며, 시제품 또는 상품소개서상의 형태를 포함한다)를 모방한 상품을 양도·대여 또는 이를 위한 전시를 하거나 수입·수출하는 행위. 다만, 다음의 어느 하나에 해당하는 행위는 제외한다.

(1) 상품의 시제품 제작 등 상품의 형태가 갖추어진 날부터 3년이 지난 상품의 형태를 모방한 상품을 양도·대여 또는 이를 위한 전시를 하거나 수입·수출하는 행위

(2) 타인이 제작한 상품과 동종의 상품(동종의 상품이 없는 경우에는 그 상품과 기능 및 효용이 동일하거나 유사한 상품을 말한다)이 통상적으로 가지는 형태를 모방한 상품을 양도·대여 또는 이를 위한 전시를 하거나 수입·수출하는 행위

위 (자)목에 해당하기 위해서는, ① 타인이 제작한 상품의 형태를 ② 모방한 상품을 ③ 양도·대여 또는 이를 위한 전시를 하거나 수입·수출하는 행위이어야 하고, ④ 법에서 정한 예외사유(상품형태가 갖추어진 날로부터 3년 경과, 동종 상품이 통상적으로 갖게 되는 형태의 모방)가 존재하지 않는 경우이어야 한다. 이하에서 각 요건별로 살펴보기로 한다.

나. 상품의 형태

상품형태 모방행위에서 상품의 형태란, 일반적으로 상품 자체의 형상·모양·색채·광택 또는 이들을 결합한 전체적 외관을 말하고, 실제로 판매 등이 이루어지는 상품 외에 시제품 또는 상품소개서상 상품

의 형태까지도 포함된다. 그리고 위 (자)목에서 말하는 상품의 형태를 갖춘 것으로 인정되려면, 수요자가 상품의 외관 자체로 특정 상품임을 인식할 수 있는 형태적 특이성이 있을 뿐 아니라 상품의 형태가 정형화된 것이어야 한다. 일반적인 사회의 상식에 비추어 상품들 사이에 일관된 정형성이 없다면 비록 상품의 형태를 구성하는 아이디어나 착상 또는 특징적 모양이나 기능 등이 동일하다고 하더라도 상품형태 모방행위가 인정되지 않는다.[143] 이해의 편의를 돕기 위해 위 정형성 요건이 문제된 벌집 아이스크림 사건 등을 소개한다.

○ 법원은 투명한 컵 또는 콘에 담긴 소프트 아이스크림 위에 벌집채꿀(벌집 그대로의 상태인 꿀)을 올린 모습을 한 A사의 제품이 위 (자)목의 보호대상인 상품의 형태에 해당하는지가 문제된 사안에서, 매장 직원이 고객에게서 주문을 받고 즉석에서 만들어 판매하는 제조·판매방식의 특성상 A사의 제품은 개별 제품마다 상품형태가 달라져서 일정한 상품형태를 항상 가지고 있다고 보기 어렵고, '휘감아 올린 소프트 아이스크림 위에 입체 또는 직육면체 모양의 벌집채꿀을 얹은 형태'는 상품의 형태 그 자체가 아니라 개별 제품들의 추상적 특징에 불과하거나 소프트 아이스크림과 토핑으로서의 벌집채꿀을 조합하는 제품의 결합방식 또는 판매방식에 관한 아이디어가 공통된 것에 불과할 뿐이므로, A사의 제품은 위 (자)목의 보호대상이 되지 않는다고 판단하였다.[144]

---

[143] 대법원 2016. 10. 27. 선고 2015다240454 판결
[144] 대법원 2016. 10. 27. 선고 2015다240454 판결. 아래 사진은 최진원, 앞의 책, 130

〈원고 제품〉 〈피고 제품〉

- 반면, 법원은 '마가렛트'라는 쿠키의 포장박스가 문제된 사안에서는, 해당 포장은 종이로 만든 직육면체 상자 형상으로서 그 안에 마가렛트 상품이 2개씩 포장된 봉지들이 여러 개 담긴 채 봉해져 일체로서 전시·판매되고 있어 포장을 뜯지 않으면 그 내용물이 실제로 외관에 나타나지 않음을 알 수 있는데, 그렇다면 해당 포장은 마가렛트 상품 자체와 일체로 되어 있어 해당 포장을 모방하는 것이 실질적으로 마가렛트 상품 자체를 모방하는 것과 동일시된다고 할 것이므로, 해당 포장은 부정경쟁방지법(자목)에서 말하는 '상품의 형태'에 포함된다고 봄이 상당하다고 판단하였다.[145]

- 법원은 초콜릿 과자 상품의 포장용기가 문제된 사안에서도, 원고 제품은 종이로 만든 상자 형상으로서 그 안에 원고가 제작한 초콜릿 과자 상품이 포장된 봉지들이 여러 개 담긴 채 봉해져 일체로서 전시·판매되고 있으므로, 포장을 뜯지 않으면 그 내용물이 실제로 외관에 나타나지 않음을 알 수 있는바, 그렇다면 원고 제품은

쪽에서 인용

[145] 대법원 2008. 10. 17.자 2006마342 결정

그 안의 상품 자체와 일체로 되어 있어 원고 제품을 모방하는 것이 실질적으로 그 안의 상품 자체를 모방하는 것과 동일시된다고 할 것이므로, 원고 제품은 부정경쟁방지법(자목)에서 말하는 '상품의 형태'에 포함된다고 봄이 상당하다고 판단하였다.[146]

〈원고 제품〉 　　　　〈피고 제품〉

참고로, 상품의 형태는 위 (아)목 외의 다른 법령 등에 따라 보호되기도 한다. 예컨대, 디자인보호법 제2조 제1호는 '디자인'을 '물품의 형상·모양·색채 또는 이들을 결합한 것으로서 시각을 통하여 미감(美感)을 일으키게 하는 것'이라고 정의하고 있고, 디자인등록의 요건(신규성 및 창작비용이성)[147]을 갖춘 디자인은 디자인보호법에 따른 일정한 보호를 받게 된다(디자인보호법 제33조 등 참조). 상품의 형태가 저작권법에 따라 보호되는 저작물(인간의 사상 또는 감정을 표현한 창작물)을 그대

---

146) 서울중앙지방법원 2015. 8. 21. 선고 2014가합581498 판결
147) 쉽게 말하면, 디자인은 기존에 존재하지 않던 새로운 것이어야 하고 통상의 지식을 가진 사람이 쉽게 창작할 수 있는 것이 아니어야 한다.

로 복제한 것 등에 해당할 경우에는 저작권법에 따른 보호를 받을 수
도 있다(저작권법 제104조의8 등 참조). 상품의 형태가 입체적 형상으로
된 상표에 해당하는 경우에는 상표법에 따라 등록상표로 보호받을 수
도 있다(상표법 제107조 등 참조).

다. 모방한 상품

모방(imitation)은 타인의 상품형태에 기초하여 이와 실질적으로 동일
한 형태의 상품을 만들어내는 것을 말한다. 타인의 상품형태를 일부
변경하여 모방 상품을 만들어 낸 경우에 실질적으로 동일한 형태의
상품에 해당하는지는 변경된 형태의 내용과 정도, 그 변경을 생각 또
는 구상하는 것이 어려운지(착상의 난이도), 그 변경에 의한 형태적 효
과 등을 종합적으로 고려하여 판단하여야 한다.[148]

모방이 그 개념상 타인의 상품형태를 따라하는 것을 그 전제로 하
고 있으므로, 결과적으로 상품형태가 실질적으로 동일하다고 하디리
도 타인의 상품형태를 따라하지 않은 경우(즉, 우연에 의하여 실질적으로
동일한 형태의 상품이 여럿 존재하게 된 경우)에는 상품형태 모방행위가 성
립하지 않는다고 보아야 한다. 즉, 상품형태의 모방이 인정되기 위해
서는 행위자가 타인의 상품형태를 인식하고 그에 기초하여 실질적으
로 동일한 상품형태를 만들어냈다는 주관적 요건도 인정되어야 한다.

○ 모발용품의 용기가 유사한지 여부가 문제된 사안에서, 법원은 채권

---

[148] 대법원 2012. 3. 29. 선고 2010다20044 판결

자의 상품과 채무자의 상품이 용기 크기, 용기 상단·하단의 모양, 용기 바닥 면적, 용기의 용량, 용기 마개의 세부적 모습, 용기의 투명도 및 색상이 서로 다르고, 채권자와 채무자 상품 모두 뾰족한 모양의 뚜껑을 이용하고 있으나 이는 다른 모발용품에서 널리 사용되는 형태로서 동종의 상품이 통상적으로 갖는 형태임을 고려하면 채무자의 상품과 채권자의 상품이 실질적으로 동일하다고 할 수 없어서 상품형태 모방행위(자목)에 해당하지 않는다고 판단하였다.[149]

○ 미술저작물로 등록된 '안녕? 난 지방!'이라는 인형과 동일·유사한 인형을 외국에서 제조하여 이를 국내로 수입한 행위가 문제된 사안에서, 법원은 인형의 전체적인 구성, 모양, 비율이 매우 유사한 사실, 들고 있는 음식의 종류에 따라 달라지는 인형의 입모양과 색상이 유사한 사실, 원고 인형과 피고 제품에는 핫도그를 들고 있는 인형 형태에만 존재하는 입의 왼쪽 하단에 침을 흘리는 표현이 공통적으로 존재하는 사실, 원고 인형과 피고 제품의 인형들이 양 손으로 들고 있는 음식의 배치와 색상, 핫도그 빵 사이에 끼워진 소시지와 그 소시지에 뿌려진 케첩, 햄버거 빵 위에 뿌려진 깨와 그 사이에 끼워진 상추, 케이크의 삼각형 모양, 닭다리의 구체적인 표현까지 매우 유사한 사실이 인정되므로 피고 제품이 원고 인형의 형태를 모방한 것으로 보아야 한다고 판단하였다.[150]

○ 전기자전거 형태의 모방 여부가 문제된 사안에서, 법원은 원고의

---

149) 서울동부지방법원 2018. 6. 27.자 2018카합10209 결정
150) 대전지방법원 2017. 9. 14. 선고 2016가합107145 판결

A제품과 피고의 B제품의 형태에 관하여 보면 양 제품이 알루미늄 재질의 V자형 프레임을 가지고 있는 점, 메인프레임의 내부에 배터리팩이 삽입되는 구조로 되어 있는 점 등이 유사하나, ① 배터리 내장형 전기자전거는 원고의 제품이 출시되기 이전에 이미 여러 나라에서 개발된 바 있어 피고의 전기자전거가 배터리 내장형을 채택했다는 점만으로는 상품형태 모방행위에 해당한다고 보기 어려운 점, ② 위 V자형 프레임이나 그 밖의 부품들은 세부적인 면에 있어서는 차이가 있을 뿐 아니라, 원고가 원고의 제품들을 생산하기 위하여 독자적으로 개발한 것이 아니고 종전부터 자전거에 널리 사용되어 오던 형태 및 부품들을 단순히 결합 또는 조합한 것에 불과한 점, ③ 제품의 특성상 자전거에 있어서 그 형태의 변경은 한정될 수밖에 없고 자전거의 부품 공급업체 또한 제한되어 있어 전체적인 외형이 유사하다거나 동일한 부품 공급업체로부터 동일 또는 유사한 부품을 공급받았다는 점만으로는 상품형태 모방행위에 해당한다고 보기에 부족한 점, ④ 원고의 A제품의 모터는 전륜에 장착되어 있으나 피고의 B제품의 모터는 후륜에 장착된 점 등에 비추어 보면, 위와 같은 일부 유사점이 있다고 하더라도 양 제품이 형상·모양·색채 등에 있어서 실질적으로 동일한 형태를 지니고 있다고 보기 어려우므로, 피고가 원고의 A제품을 '모방'한 것으로 인정할 수 없다고 판단하였다.[151]

---

151) 서울중앙지방법원 2014. 4. 24. 선고 2013가합42330 판결
해당 사안에서는 여러 제품의 모방 여부가 문제되었고, 위에 기재한 내용은 그중 특정 제품의 모방 여부에 대한 법원의 판단내용이다. 원고는 위 판결에 항소하였으나 항소심에서 항소를 취하하여 사건이 종결되었다.

○ 법원은 앞서 살펴본 초콜릿 과자 상품의 포장용기가 문제된 사안에서, ① 피고 제품은 원고 제품이 출시된 이후에 국내에 출시된 것으로서 원고의 문제된 디자인을 침해하고 있어서 전체적인 심미감이 매우 유사한 점, ② 피고 제품과 원고 제품은 모두 초콜릿을 입힌 막대 과자 제품으로서 제품 형태도 거의 동일한 점, ③ 각 면의 배색이나 정면의 초콜릿 과자를 배치한 모양, 정면 맨 윗부분에 상호를 표시한 점 등 그 전체적인 구성이 매우 흡사한 점 등을 종합하여 보면, 피고 제품은 원고 제품을 모방하여 제작되었다고 봄이 상당하다고 판단하였다.[152]

라. 모방 상품의 양도·대여 또는 이를 위한 전시, 수입·수출

상품형태 모방행위는 타인의 상품형태를 모방한 상품을 양도·대여 또는 이를 위하여 전시를 하거나 수입·수출하는 행위를 금지한다. 양도는 모방 상품을 타인에게 넘겨주는 것을 말하고(유상이든 무상이든 모두 포함된다), 대여는 일정한 조건으로 모방 상품을 타인에게 빌려주는 것을 말한다. 전시는 모방 상품을 타인에게 양도 또는 대여할 목적으로 공개하여 다른 사람이 볼 수 있도록 하는 것을 말한다(수입·수출에 대해서는 앞에서 살펴보았으므로 다시 설명하지 않는다).

마. 예외사유가 존재하지 않을 것

위 (아)목은 앞서 살펴본 상품형태 모방행위의 각 요건을 갖춘 경

---

[152] 서울중앙지방법원 2015. 8. 21. 선고 2014가합581498 판결

우에도 ① 상품의 시제품 제작 등 상품의 형태가 갖추어진 날부터 3년이 지난 상품의 형태와 ② 타인이 제작한 상품과 동종의 상품(동종의 상품이 없는 경우에는 그 상품과 기능 및 효용이 동일하거나 유사한 상품)이 통상적으로 가지는 형태에 대해서는 이를 모방한 상품을 양도·대여 또는 이를 위한 전시를 하거나 수입·수출하는 행위를 하더라도 위 (아)목에 따라 금지되지 않는다고 규정하고 있다.

위 예외사유 ①과 관련하여, 3년이라는 기간의 시작일(즉, 기산일)인 상품의 시제품 제작 등 상품의 형태가 갖추어진 날은 시제품의 생산일, 상품의 판매일 등이 그 대표적인 기준일이고, 위 예외사유를 적용받고 싶은 검은 양으로서는 상품행위 모방행위가 있었던 날로부터 3년 이상의 기간 전에 해당 상품이 한 번이라도 판매된 사실 등을 주장·입증함으로써 위 예외사유를 적용받을 수 있을 것이다. 만약 외국에서 최초로 상품의 형태가 갖추어진 경우라면 위 3년의 기산일은 국내에 수입된 날이 아니라 외국에서 시제품 등이 생산됨으로써 상품의 형태를 갖추게 된 날을 기준으로 하여야 한다.[153]

위 예외사유 ②와 관련하여, 동종의 상품이 통상적으로 가지는 형태란 동종의 상품 분야에서 일반적으로 채택되는 형태로서 상품의 기능·효능을 달성하거나 그 상품 분야에서 경쟁하기 위하여 채용이 불가피한 형태 또는 동종의 상품이라면 흔히 가지는 개성이 없는 형태 등을 의미한다.[154] 하급심 판례 중에는 '그 형태가 시장에서 사실상 표준으로 되어 있는 것과 같은 형태 또는 상품의 기능상 그러한 형태

---

153) 서울중앙지방법원 2011. 6. 8. 선고 2010가합135897 판결
154) 대법원 2017. 1. 25. 선고 2015다216758 판결

를 취하지 않고서는 상품이 성립하기 어려운 형태'라고 설명하고 있는 것도 있다.[155)

이해를 돕기 위해 위 예외사유가 문제된 실제 사례들을 살펴보면 다음과 같다.

○ 법원은 쌍구형 소화기의 형태가 문제된 사안에서, 원고 제품은 두 개의 소화기캔을 하나의 케이스에 내장하여 휴대할 수 있도록 구성된 쌍구형 소화기로서 전체적으로 볼 때 소화기캔이 들어가는 부분인 두 개의 원기둥을 좌우대칭이 되게 결합하고 그 상면을 평평하게 연결한 것을 기본적인 형상으로 하되 원기둥의 상단부가 안쪽으로 원만하게 휘어 있는 등의 형태를 갖는데, 위와 같은 원고 제품의 주된 특징적 형태와 실질적으로 동일한 형태들이 이미 선행제품들에도 그대로 나타나 있고, 원고 제품의 형태에서 나타나는 일부 차이점이 전체 상품의 형태에서 차지하는 비중이나 이로 인한 시각적인 효과 등에 비추어 볼 때 이를 원고 제품에 다른 제품과 구별되는 개성을 부여하는 형태적 특징에 해당한다고 보기는 어렵다는 이유로, 원고 제품의 형태는 부정경쟁방지법 제2조 제1호 (자)목에 따라 보호되는 상품의 형태에 해당하지 않는다고 판단하였다.[156)

○ 소변연습기의 형태가 문제된 사안에서, 법원은 원고가 생산하는 소변연습기는 남자 유아에게 소변을 가리는 훈련을 하기 위한 용도

---

155) 서울중앙지방법원 2011. 6. 8. 선고 2010가합135897 판결
156) 대법원 2017. 1. 25. 선고 2015다216758 판결

로 작은 크기의 남성용 용변기의 형태를 갖추고 있고, 흡착판을 이용하여 욕실 등에 거치대를 부착한 후 소변연습기를 위 거치대에 거치하도록 구성되어 있는데, 이러한 원고 제품에서 고유하고 특징적인 형태를 발견하기는 어렵고, 원고 제품은 남자 유아에게 소변을 가리는 훈련을 하기 위하여 불가결한 기술적인 형태만을 갖추었다고 보았다. 그리고 이러한 이유에서 원고 제품의 형태를 동종의 상품이 통상적으로 갖는 형태라고 판단하였다.[157]

○ 법원은 주방가구 형태의 모방이 문제된 사안에서, 채권자 제품은 식탁 또는 조리대로 사용되는 상판, 서랍 또는 개폐형문 형태의 수납장 등으로 구성되어 있는데 위 각 구성부분의 형태는 주방가구가 그 기능을 발휘하기 위한 필수불가결한 형태로 보이는 점, 주방가구는 물론 거실 및 침실가구 등 가구의 경우 일반적으로 상용되고 있는 통상적인 규격들이 있는 것으로 보이는 점, 채권자가 주장하는 주방가구의 넓이, 높이 등의 규격이나 결합 부품의 형태가 주방가구의 기능적 형태에 별다른 변화를 주지 않는 점 등에 기초하여, 채권자 제품의 형태는 전체적으로 볼 때 동종 상품이 통상적으로 가지는 형태에 불과하다고 판단하였다.[158]

---

157) 서울중앙지방법원 2011. 6. 8. 선고 2010가합135897 판결
158) 서울중앙지방법원 2017. 3. 9.자 2016카합81458 결정

9

아이디어 탈취

가. 기본 설명

아이디어 탈취행위(부정경쟁방지법 제2조 제1호 차목)는 사업제안, 입찰 등 거래교섭 또는 거래과정에서 알게 된 또는 제공받은 경제적 가치를 가지는 타인의 아이디어가 포함된 정보를 그 제공된 목적에 위반하여 자신 또는 제3자의 영업상 이익을 위하여 부정하게 사용하거나 타인에게 제공하여 사용하게 하는 행위를 말한다.

해당 조문의 내용은 다음과 같다.

> 차. 사업제안, 입찰, 공모 등 거래교섭 또는 거래과정에서 경제적 가치를 가지는 타인의 기술적 또는 영업상의 아이디어가 포함된 정보를 그 제공목적에 위반하여 자신 또는 제3자의 영업상 이익을 위하여 부정하게 사용하거나 타인에게 제공하여 사용하게 하는 행위. 다만, 아이디어를 제공받은 자가 제공받을 당시 이미 그 아이디어를 알고 있었거나 그 아이디어가 동종 업계에서 널리 알려진 경우에는 그러하지 아니하다.

위 부정경쟁행위는 2018년 법 개정 시에 새롭게 신설되었다. 아이디어는 이른바 아이디어·표현 이분법에 따라 저작권법 등으로 보호받지 못하였는데, 중소·벤처기업, 스타트업 기업, 개발자 등의 경제적 가치를 가지는 아이디어를 거래상담, 입찰, 공모전 등을 통해 취득하고 이를 아무런 보상 없이 사업화하여 막대한 경제적 이익을 얻는 사례 등이 발생하였다. 위 (차)목은 위와 같은 사례를 방지하고 중소·벤처기업 등의 아이디어를 보다 적극적으로 보호할 목적으로 신설되었다.[159)]

위 (차)목에 해당하기 위해서는 ① 사업제안, 입찰, 공모 등 거래교섭 또는 거래과정에서 알게 된 또는 제공받은 경제적 가치를 가지는 타인의 기술적 또는 영업상의 아이디어가 포함된 정보[160)]를 ② 그 제공된 목적에 위반하여 ③ 자신 또는 제3자의 영업상 이익을 위하여 부정하게 사용하거나 타인에게 제공하여 사용하게 한 경우이어야 하고, ④ 아이디어 정보를 제공받은 자가 제공받을 당시 이미 그 아이디어를 알고 있었거나 그 아이디어가 동종 업계에서 널리 알려진 경우에 해당하지 않아야 한다. 이하에서 각 요건별로 살펴보기로 한다.

참고로, 위 (차)목은 최근(2018년) 신설된 부정경쟁행위인 만큼 아직 관련 판례가 많지는 않다. 다만, 부정경쟁방지법에 따라 보호되는 '영업비밀'은 그 성격상 아이디어 정보와 유사한 측면이 많으므로, 영업비밀과 관련하여 기존에 확립된 법리를 위 (차)목의 해당 여부 판단

---

159) 특허청 연구자료(법무법인 다움), 「2017~2019 부정경쟁방지 및 영업비밀보호에 관한 법률 판결문 분석 연구」, 특허청 산업재산보호정책과(2020), 79쪽
160) 이하 '아이디어 정보'라고 한다.

등에 있어서 참고할 수 있을 것이다.

나. 사업제안, 입찰, 공모 등 거래교섭 또는 거래과정

위 (차)목은 검은 양이 아이디어 정보를 사업제안, 입찰, 공모 등 거래교섭 또는 거래과정에서 알게 되는 것을 전제로 하고 있다. 거래교섭은 계약 체결에 이르기까지의 논의 및 협의 과정을 말하고, 거래과정은 계약 체결 전 뿐만 아니라 계약 체결 이후에 이루어지는 계약 이행의 전체 과정까지도 포함하는 개념으로 해석된다.

교섭은 기본적으로 양쪽 당사자를 필요로 하므로, 일방적으로 아이디어 정보를 제공하고 그에 대하여 상대방이 아무런 반응을 하지 않은 경우에는 거래교섭이 있었던 것으로 인정되지 않을 것으로 보인다(즉, 양쪽 당사자 사이에 거래교섭에 관한 묵시적 의사표시는 존재하여야 한다).[161]

다. 경제적 가치를 가지는 기술적 또는 영업상 아이디어가 포함된 정보

위 (차)목의 중요한 요건은 '경제적 가치를 가지는 기술적 또는 영업상의 아이디어가 포함된 정보'에 해당하여야 한다는 것이다. 먼저 아이디어는 '특정 기술이나 제품, 상품의 발상 또는 착상, 착안, 구상, 사상 등'을 말한다.[162] 법원은 경제적 가치 있는 아이디어 정보에 해당하는지 여부는 "아이디어 정보의 보유자가 정보의 사용을 통해 경쟁자에 대하여 경쟁상의 이익을 얻을 수 있거나 또는 정보의 취득이

---

161) 특허청 정책연구(세종대학교 산학협력단), 앞의 책, 117~118쪽
162) 특허청 정책연구(세종대학교 산학협력단), 앞의 책, 125쪽

나 개발을 위해 상당한 비용이나 노력이 필요한 경우인지 등에 따라 구체적·개별적으로 판단해야 한다."고 설명하고 있다.[163] 부정경쟁방지법상 영업비밀 역시 '독립한 경제적 가치를 가질 것'이 요구되는데, 위 요건은 정보 보유자가 정보의 사용을 통해 경쟁자에 대하여 경쟁상 이익을 얻을 수 있거나 또는 정보의 취득이나 개발을 위해 상당한 비용이나 노력이 필요하다는 것을 의미한다.[164]

앞의 두 내용을 비교하여 보면 바로 확인되는 것처럼, 아이디어 정보와 영업비밀이 경제적 가치를 갖는 것으로 인정되기 위한 요건은 매우 유사하다.

아이디어 정보는 기술적 또는 영업에 관한 것이어야 한다. 검은 양이 입찰 과정에서 해당 회사의 기술이나 영업 내용과는 무관한 부동산 투자에 관한 아이디어를 제공받았다면, 이는 위 (차)목에서 말하는 아이디어 정보에 속한다고 보기 어렵다. 또한 아이디어 정보는 그 특성상 추상적일 수밖에 없으므로 어느 정도 특정될 필요가 있는데, 다른 정보와 구별될 수 있고 어떤 내용에 관한 정보인지 알 수 있다면 아이디어 정보가 특정된 것으로 볼 수 있을 것이다.[165]

---

163) 대법원 2020. 7. 23. 선고 2020다220607 판결
164) 대법원 2011. 7. 14. 선고 2009다12528 판결
165) 대법원 2008. 7. 10. 선고 2006도8278 판결
　　형사처벌의 대상이 되는지 여부를 판단할 때에는 침해된 아이디어 정보의 특정 정도가 피고인의 방어권 행사에 불이익을 가져오는지도 함께 고려되어야만 할 것이다.

○ 법원은 신제품 명칭 및 광고에 사용할 광고용역 결과물과 관련하여, 해당 광고용역 결과물 중 브랜드명 부분과 광고 콘티의 구성방식·구체적 설정 등이 아이디어 정보에 해당한다고 판단하였다.[166)]

라. 아이디어 정보를 그 제공목적에 위반하여 부정하게 사용

위 (차)목에 해당하기 위해서는 '거래교섭 또는 거래과정에서 제공받은 아이디어 정보를 그 제공목적에 위반하여 자신 또는 제3자의 영업상 이익을 위하여 부정하게 사용하는 등의 행위'이어야 하는데, 어떤 행위가 아이디어 정보를 부정하게 사용한 것으로 평가될까?

우선, 아이디어 정보의 제공목적은 해당 정보가 제공된 경위, 해당 정보 제공자의 명시적·묵시적 의사표시 등을 통해 확인할 수 있을 것이다. 자신 또는 제3자의 영업상 이익을 위한다는 것은 경제적인 이익뿐만 아니라 경영상의 이익 등을 추구하는 경우까지도 포함하는 것으로 폭넓게 해석되어야 할 것으로 보이고, 부정한 사용인지 여부는 사회의 일반적이고 건전한 상식 등에 기초하여 제반 요소를 종합적으로 고려하여 판단될 수밖에 없을 것으로 보인다.

법원 역시 아이디어 정보의 부정한 사용에 해당하는지는 다양한 요소를 종합적으로 고려하여 판단하여야 한다는 입장을 취하고 있다. 구체적으로 법원은 "거래교섭 또는 거래과정의 구체적인 내용과 성격, 아이디어 정보의 제공이 이루어진 동기와 경위, 아이디어 정보의 제공으로 달성하려는 목적, 아이디어 정보 제공에 대한 정당한 대가

---

166) 대법원 2020. 7. 23. 선고 2020다220607 판결

의 지급 여부 등을 종합적으로 고려하여, 아이디어 정보 사용 등의 행위가 아이디어 정보 제공자와의 거래교섭 또는 거래과정에서 발생한 신뢰관계 등에 위배된다고 평가할 수 있어야 한다."고 설명하고 있다.[167]

한편, 아이디어 정보의 사용은 그 아이디어 정보의 본래 사용 목적에 따라 이를 상품의 생산·판매 등의 영업활동에 이용하거나 연구·개발사업 등에 활용하는 등으로 기업·영업활동에 직접 또는 간접적으로 사용하는 행위로서 구체적으로 특정이 가능한 행위를 지칭한다. 이는 영업비밀의 사용에 관한 법원의 설명인데, 아이디어 정보의 사용에도 동일하게 적용될 수 있을 것으로 보인다.[168]

마. 예외사유가 존재하지 않을 것

아이디어 탈취행위(차목)의 다른 요건들을 갖춘 경우에도 ① 아이디어를 제공받은 자가 해당 아이디어를 제공받을 당시 이미 그 이이디어를 알고 있거나, ② 해당 아이디어가 동종 업계에 널리 알려진 때에는 위 (차)목의 부정경쟁행위가 성립하지 않는다. 위 각 예외사유가 존재한다는 점에 대해서는 부정경쟁행위자인 검은 양이 이를 주장·입증하여야 한다.

위 예외사유 ②와 관련해서는 '동종 업계에 널리 알려진' 부분의 의미가 문제된다. '국내'라는 지역적 범위를 기준으로 하는 상품주체·

---

167) 대법원 2020. 7. 23. 선고 2020다220607 판결
168) 대법원 1998. 6. 9. 선고 98다1928 판결

영업주체 혼동행위나 저명상표 희석행위의 주지·저명성과는 달리 위예외사유는 '동종 업계'라는 사업 또는 산업의 영역을 그 기준으로 삼고 있으므로, 국내가 아닌 외국의 동종 업계에서 널리 알려진 아이디어 정보인 경우에도 위 예외사유를 적용할 수 있을 것이다. 또한 동종 업계에서 널리 알려졌다고 평가하려면, 단순히 해당 업계에서 특정 아이디어 정보가 공개된 적이 있다는 정도만으로는 부족하고, 아이디어 정보가 언론보도, 동종 업계에서 주로 사용되는 커뮤니티에서의 공유, 상품화 등을 통해 동종 업계 종사자들에게 충분히 인식될 수 있었던 경우이어야 할 것이다.[169]

○ 법원은 성남시가 발주한 교량공사와 관련하여 수급인이 하도급업체를 선정하는 과정에서 하도급업체로부터 제공받은 공법 관련 제안서가 문제된 사안에서, 해당 아이디어 정보를 제공받을 당시 수급인이 이미 이를 알고 있었다거나 이를 사용하지 않았다는 이유로 아이디어 탈취행위(차목)의 성립을 부정하였다.[170]

바. 다른 법률에 의한 아이디어 정보의 보호

아이디어 정보는 다른 법령에서 정하고 있는 요건을 만족하는 경우에는 다른 법령에 따른 보호를 받을 수 있다. 예를 들어, 하도급법 제12조의3 제1항은 원사업자가 정당한 사유 없이 수급사업자에게 기

---

[169] 물론 위 '동종 업계에 널리 알려진' 부분은 향후 판결을 통해 구체적인 판단기준이 마련될 것으로 전망된다.
[170] 서울중앙지방법원 2019. 12. 5. 선고 2018가합576074 판결

술자료[171])를 본인 또는 제3자에게 제공하도록 요구하는 행위를, 같은 조 제3항은 원사업자가 취득한 수급사업자의 기술자료를 부당하게 자기 또는 제3자를 위하여 사용하거나 이를 제3자에게 제공하는 행위를 각 금지하고 있다.

유사한 특별법으로 중소기업기술의 침해행위를 방지하고자 하는 '중소기업기술 보호 지원에 관한 법률'도 존재한다. 아이디어 정보가 저작물에 해당하거나 영업비밀로 인정될 수 있는 경우 등에는 저작권법이나 부정경쟁방지법의 영업비밀 보호 규정에 따른 보호 역시 받을 수 있을 것이다.

---

171) 하도급법 제2조(정의)
⑮ 이 법에서 "기술자료"란 합리적인 노력에 의하여 비밀로 유지된 제조·수리·시공 또는 용역수행 방법에 관한 자료, 그 밖에 영업활동에 유용하고 독립된 경제적 가치를 가지는 것으로서 대통령령으로 정하는 자료를 말한다.

10

타인성과 무단사용

가. 기본 설명

타인성과 무단사용(부정경쟁방지법 제2조 제1호 카목) 행위는 말 그대로 타인의 상당한 투자나 노력으로 만들어진 성과 등을 자신의 영업을 위해 무단으로 사용하는 것을 말한다.

해당 조문의 내용은 다음과 같다.

> 카. 그 밖에 타인의 상당한 투자나 노력으로 만들어진 성과 등을 공정한 상거래 관행이나 경쟁질서에 반하는 방법으로 자신의 영업을 위하여 무단으로 사용함으로써 타인의 경제적 이익을 침해하는 행위

이는 부정경쟁방지법이 2013년 7월 개정되면서 새롭게 추가된 부정경쟁행위의 보충적 일반조항(catch-all clause)이다. 기술의 발전과 거래관념의 변화에 따라 보호하여야 할 무형의 성과와 금지하여야 할 행위도 새롭게 등장할 수밖에 없는데, 법원이 이에 바로 대응할 수 있도록 하기 위하여 추상적 요건으로 폭넓게 적용할 수 있는 위와 같은 일반조항이 신설되었다.

이하에서 위 (카)목에 해당하기 위한 요건의 구체적인 내용을 살펴본다.

나. 타인의 상당한 투자나 노력으로 만들어진 성과 등

위 (카)목은 타인의 상당한 투자나 노력으로 만들어진 성과 등을 보호한다. 위 규정은 그 보호대상인 '성과 등'의 유형에 제한을 두고 있지 않으므로, 유형물뿐만 아니라 무형물도 이에 포함되고, 종래 지식재산권법에 의해 보호받기 어려웠던 새로운 형태의 결과물도 포함될 수 있다.

그리고 '성과 등'에 해당하는지를 판단할 때에는 위와 같은 결과물이 갖게 된 명성이나 경제적 가치, 결과물로 구체화된 고객흡인력, 해당 사업 분야에서 결과물이 차지하는 비중과 경쟁력 등을 종합적으로 고려해야 한다.172)

이러한 성과 등이 '상당한 투자나 노력으로 만들어진' 것인지 여부는 권리자가 투입한 투자나 노력의 내용과 정도를 그 성과 등이 속한 산업분야의 관행이나 실태에 비추어 구체적·개별적으로 판단하게 된다. 투자나 노력에는 자본금의 출자뿐만 아니라 설비 등 자산의 출자, 노동력이나 시간의 투입, 정신적 노력 등이 모두 포함된다고 보아야 할 것이다.

또한 위 성과 등을 무단으로 사용함으로써 침해된 경제적 이익이 누구나 자유롭게 이용할 수 있는 공공영역(public domain)에 속하지 않

---

172) 대법원 2020. 3. 26.자 2019마6525 결정

는다고 평가할 수 있어야 한다.[173]

이해를 돕기 위해, 상당한 투자나 노력으로 만들어진 성과로 인정될 수 있는지 여부가 문제되었던 실제 사례들을 살펴보면 다음과 같다.

○ 법원은 KBS 등이 공동으로 실시한 출구조사 결과를 JTBC가 무단으로 사용한 사안에서, ① 원고들(KBS 등)이 위 출구조사 결과를 얻기 위하여 3개 조사기관과 용역계약을 체결하고 24억 원이라는 상당의 거액의 비용을 지출한 점, ② 원고들과 위 용역계약을 체결한 조사기관들은 위 출구조사 결과를 얻기 위하여 41,000명에 대한 전화조사 및 648개 투표소에 대한 출구조사를 수행한 점, ③ 원고들은 위 출구조사 결과가 제3자에게 유출되지 않도록 사전에 비밀유지약정을 체결하는 등 비밀유지를 위해 노력한 것으로 보이는 점 등에 비추어 보면, 위 출구조사 결과는 원고들의 상당한 투자나 노력으로 만들어진 성과로 보아야 한다고 판단하였다.[174]

○ 법원은 단팥빵 매장의 인테리어 등이 문제된 사안에서, 위 (카)목이 보호하는 '타인의 상당한 투자나 노력으로 만들어진 성과'에는 새로운 기술과 같은 기술적인 성과 이외에도 특정 영업을 구성하는 영업소 건물의 형태와 외관, 내부 디자인, 장식, 표지판 등 영업의 종합적 이미지도 포함되고, 영업의 종합적 이미지가 개별 요소들로서는 다른 부정경쟁행위 금지 규정이나 디자인보호법, 상표

173) 대법원 2020. 3. 26.자 2019마6525 결정
　　서울고등법원 2016. 1. 12.자 2015라20710 결정
174) 대법원 2017. 6. 15. 선고 2017다200139 판결
　　서울고등법원 2016. 11. 24. 선고 2015나2049789 판결

법 등 지식재산권 관련 법률의 개별 규정에 의해서는 보호받지 못한다고 하더라도, 그 개별 요소들의 전체 혹은 결합된 이미지는 특별한 사정이 없는 한 위 (카)목의 '성과'에 해당한다고 판단하였다.[175]

○ 피고 회사가 다른 회사들이 소유하는 골프장들을 무단 촬영한 후 그 사진 등을 토대로 3D 컴퓨터 그래픽 등을 이용하여 위 골프장들의 골프코스를 거의 그대로 재현한 입체적 이미지의 골프코스 영상을 제작한 다음 이를 스크린골프장 운영업체에 제공한 사안에서, 법원은 골프장의 종합적인 '이미지'는 골프코스 설계와는 별개로 골프장을 조성·운영하는 회사들의 상당한 투자나 노력으로 만들어진 성과에 해당한다고 판단하였다.[176]

○ 법원은 원고가 설치한 가글디스펜서가 상당한 투자나 노력으로 만들어진 성과인지가 문제된 사안에서, 원고가 약 10년 전 최초로 디스펜서용 가글을 판매하기 위하여 가글디스펜서를 개발하고 가글디스펜서를 무료로 설치하는 사업을 시작하여 국내 각지에 약 7만 대의 가글디스펜서를 설치한 점, 그 비용이 총 20억 원을 넘는 점, 원고가 가글디스펜서를 설치한 장소는 회사, 식당 등의 화장실로 다수의 사람이 이용하는 시설인데, 이러한 시설의 관리자로부터 가글디스펜서 설치에 관한 허락을 받는 과정에 원고는 상당한 노력을 들였을 것으로 보이는 점, 그 결과 원고는 2015년도 기준 디

---

175) 대법원 2016. 9. 21. 선고 2016다229058 판결
    문제된 매장 인테리어 등은 서울고등법원 2016. 5. 12. 선고 2015나2044777 판결에서 확인 가능하다.
176) 대법원 2020. 3. 26. 선고 2016다276467 판결

스펜서용 가글 시장 점유율 58%의 성과를 달성하였고, 해당 시장 업계 1위 지위를 유지하고 있는 점 등에 기초하여 원고가 설치한 가글디스펜서가 원고의 장기간에 걸친 상당한 투자와 노력으로 만들어진 성과에 해당한다고 판단하였다.[177]

○ 법원은 음식점 프랜차이즈가 갖는 종합적인 이미지가 문제된 사안에서, 음식점 영업에 있어서 상호, 영업점의 외관이나 인테리어 등 전체적인 이미지, 주된 메뉴의 선정과 전체 메뉴의 구성, 영업방식 등은 다른 음식점과 차별화되는 중요한 요소라고 할 것이고, 음식점 프랜차이즈 사업자가 위와 같은 음식점 영업을 구성하는 개별 요소들을 종합하여 자신만의 독창적인 음식점 프랜차이즈를 구성하였다면 이러한 프랜차이즈가 갖는 종합적인 이미지는 부정경쟁 방지법이 규정하는 '상당한 노력에 의하여 구축된 성과'에 해당할 수 있다고 판단하였다.[178]

○ 동종 영업을 하고 있는 피고가 원고의 상품 광고용 사진을 무단으로 사용한 사안에서, 법원은 피고가 원고의 사진을 무단으로 사용하면서 그 사진의 배경 부분에 피고의 상호 이니셜을 새겨 마치 자신이 위 사진을 직접 제작하거나 그에 대한 권리를 가지고 있는 것처럼 행세하였고, 원고의 사진 중에는 시계를 부각시키기 위하여 빛이 반사되는 배경을 사용하거나 바닥에 특정 천을 깔고 사진을 찍거나 선글라스 등을 활용하는 등 원고가 상당한 노력을 기울여 촬영한 사진이 상당 수 포함되어 있는 점을 지적하면서, 원고가 촬

---

177) 서울중앙지방법원 2018. 6. 22. 선고 2017가합562146 판결
178) 서울중앙지방법원 2018. 10. 23.자 2018카합157 결정

영하고 편집한 사진 및 제품설명은 소비자들의 구매의사 형성 및 구매처 선택에 상당한 영향을 미칠 수밖에 없으므로 원고의 위 사진은 원고의 성과이고 이를 무단으로 사용한 행위는 부정경쟁행위에 해당한다고 판단하였다.[179)]

○ 법원은 구인·구직 사이트의 채용정보가 포함된 웹사이트 HTML 소스가 문제된 사안에서, ① 채용정보 사이트의 가장 큰 성공요인은 얼마나 많은 채용정보 게시글을 확보하느냐에 있다고 할 것인데, 원고가 마케팅 및 개발 비용 등을 지출하여 원고 웹사이트에 게재할 채용정보를 개별 구인업체들로부터 수집하고, 수집된 정보를 원고 웹사이트의 양식에 맞게 새롭게 작성하여 게재한 원고 웹사이트 HTML 소스는 원고의 상당한 투자와 노력을 통해 얻은 것이라고 봄이 상당한 점, ② 원고 웹사이트의 채용공고 하단에는 본 정보는 개별 구인업체가 제공한 자료를 바탕으로 잡코리아가 편집 및 그 표현방법을 수정하여 완성한 것으로 잡코리아의 동의 없이 무단 전재 또는 재배포, 재가공할 수 없다고 기재되어 있는 점, ③ 원고는 자신의 정체를 명시하고 원고 웹사이트를 출처로 표시하는 아웃링크 기능을 통해 이용자를 원고 웹사이트로 보내주는 정상적인 검색로봇의 적법한 크롤링에 한해 선별적으로 크롤링을 허용하고 있을 뿐, 정체를 숨기고 원고 웹사이트의 정보를 무차별적으로 복제한 후 출처를 삭제하여 이를 사용하는 피고와 같은

[179)] 서울중앙지방법원 2015. 9. 2. 선고 2013가단5155012 판결
이에 대한 항소가 있었으나 항소기각 판결이 선고되었고, 대법원에서 상고취하로 확정되었다.

방식의 크롤링은 허용하지 않고 있는 점 등에 기초하여, 피고가 원고 웹사이트의 HTML 소스를 기계적인 방법으로 대량복제하여 영리 목적으로 피고 웹사이트에 게재하는 행위는 원고가 마케팅 및 개발 비용을 투입하여 생성한 상당한 투자와 노력의 결과물인 원고 웹사이트의 HTML 소스를 공정한 상거래 관행이나 경쟁질서에 반하는 방법으로 자신의 영업을 위하여 무단으로 이용하는 행위 (즉, 부정경쟁행위)라고 판단하였다.[180]

다. 공정한 상거래 관행이나 경쟁질서에 반하는 방법으로 무단 사용

위 (카)목에 해당하기 위해서는 성과 등을 '공정한 상거래 관행이나 경쟁질서에 반하는 방법으로 자신의 영업을 위하여 무단으로 사용'한 경우에 해당하여야 한다.

공정한 상거래 관행이나 경쟁질서에 반하는지 여부는 권리자와 침해자가 경쟁관계에 있거나 가까운 장래에 경쟁관계에 놓일 가능성이 있는지, 권리자가 주장하는 성과 등이 포함된 산업분야의 상거래 관행이나 경쟁질서의 내용과 그 내용이 공정한지 여부, 위와 같은 성과 등이 침해자의 상품이나 서비스에 의해 시장에서 대체될 가능성, 수요자나 거래자들에게 성과 등이 어느 정도 알려졌는지, 수요자나 거래자들의 혼동 가능성 등을 종합적으로 고려하여 판단하게 된다.[181]

위 (카)목은 새롭게 등장할 수 있는 다양한 유형의 부정경쟁행위에

---

180) 서울중앙지방법원 2016. 2. 17. 선고 2015가합517982 판결
181) 대법원 2020. 3. 26. 선고 2016다276467 판결

대응하기 위한 보충적 일반조항으로 그 내용이 추상적일 수밖에 없고,[182] 같은 이유에서 대법원이 제시하는 기준도 결국 위에서 살펴본 것처럼 '다양한 요소를 고려한 종합 평가'라는 다소 명확하지 않은 기준이 될 수밖에 없다.

다만, 실제 사례들을 살펴봄으로써 법원의 판단기준을 대략적으로나마 확인할 수 있다.

○ 법원은 피고들이 유명 명품 패션 브랜드인 '에르메스(HERMES)'가 생산·판매하는 켈리 백(Kelly Bag), 버킨 백(Birkin Bag)과 유사한 형태의 핸드백 전면에 별개로 창작한 눈알 모양의 도안을 부착하여 판매한 행위가 문제된 사안에서(아래 사진 참조), 상품주체·영업주체 혼동행위(가목 및 나목)의 성립은 부정하면서도, ① 켈리 백과 버킨 백은 원고들의 프랑스 현지공장에서 숙련된 장인들에 의해 소량 생산하여 품질을 유지해 오고 있고 그 국내 소비자가격은 1,000만 원 이상으로 고급 명품 핸드백 중에서도 최고가에 속하는 점, ② 원고들은 전 세계 200여 개의 직영점과 기타 판매망을 통해 켈리 백과 버킨 백을 포함한 원고들 제품을 판매하고 있는데, 비싼 가격에도 불구하고 국내에서 켈리 백과 버킨 백을 구매하기 위해서는

---

[182] 법률 규정의 내용이 구체적일수록 적용할 수 있는 범위도 좁아지기 때문이다. 예컨대, '인스타그램 팔로워가 10만 명 이상인 유명인의 화보집을 무단으로 제작하는 행위'를 금지할 경우 어떤 행위가 금지되는지는 명확하지만 매우 제한적으로만 법을 적용할 수 있게 된다. 반면, '유명인의 인지도를 무단으로 활용하여 자신의 상품, 서비스를 판매하는 행위'를 금지하게 되면 화보 제작을 포함하여 매우 폭넓게 법을 적용할 수 있게 된다.

오랜 기간 기다려야 하는 상황인 점, ③ 피고들 제품이 수요자들로부터 인기를 얻게 된 것은 원고들의 상품표지와 유사한 특징이 상당한 기여를 한 것으로 보이는 점, ④ 피고들이 사용한 슬로건 'Fake for Fun'을 보더라도 원고들의 상품표지와 유사한 형태를 사용하여 그 주지성과 인지도에 편승하려는 피고들의 의도를 추단할 수 있고 타인의 동의 없이 수요자들에게 널리 알려진 타인의 상품표지에 스스로 창작한 도안을 부착하여 상업적으로 판매하는 행위가 공정한 경쟁질서에 부합하는 행위라고 보기 어려운 점, ⑤ 핸드백을 비롯한 패션잡화 분야에서 수요자들에게 널리 알려진 타인의 상품표지를 사용하기 위해서는 계약 등을 통해 제휴나 협업을 하는 것이 공정한 상거래 관행에 부합한다고 볼 수 있는 점 등을 이유로 피고들의 위와 같은 행위는 부정경쟁행위인 타인성과 무단 사용 행위(카목)에 해당한다고 판단하였다.[183]

〈원고들 켈리 백〉　　　　〈피고들 제품〉

---

183) 대법원 2020. 7. 9. 선고 2017다217847 판결
　　아래 사진은 서울고등법원 2017. 2. 16. 선고 2016나2035901 판결에서 인용

○ 법원은 앞서 본 출구조사 결과의 무단 사용이 문제된 사안에서, ① 1995년 이후 각종 선거에서 방송사 등이 실시한 출구조사 결과는 그 출구조사를 직접 실시한 방송사가 먼저 그 출구조사 결과를 방송한 이후 다른 언론사가 이를 인용하여 보도하는 관행이 있었던 점, ② 피고도 자체적으로 출구조사를 실시하여 이 사건 출구조사 결과가 원고들의 막대한 노력과 투자가 소요된 것임을 충분히 알고 있었던 것으로 보이는 점, ③ 피고의 행위를 허용하는 것은 원고들을 포함한 방송사의 출구조사 시스템 구축 등에 대한 인센티브를 저해하는 결과를 가져올 것이 명백한 점, ④ 실제로 피고는 위 출구조사 결과를 창출하는 과정에서 어떠한 기여를 한 바 없는 점 등에 기초하여, 피고가 위 출구조사 결과를 원고들의 사전 동의 없이 무단으로 방송한 것이 타인성과 무단사용 행위에 해당한다고 판단하였다.[184]

○ 법원은 잎시 본 골프장의 종합적인 이미지가 문제된 사안에서, 피고 회사가 다른 회사들이 소유하는 골프장들을 무단 촬영한 후 그 사진 등을 토대로 3D 컴퓨터 그래픽 등을 이용하여 위 골프장들의 골프코스를 거의 그대로 재현한 입체적 이미지의 골프코스 영상을 제작한 다음, 이를 스크린골프장 운영업체에 제공한 행위는 위 골프장들을 소유한 회사의 성과 등을 공정한 상거래 관행이나 경쟁질서에 반하는 방법으로 자신의 영업을 위하여 무단으로 사용함으로써 위 회사들의 경제적 이익을 침해하는 행위에 해당한다고

---

[184] 서울고등법원 2016. 11. 24. 선고 2015나2049789 판결

판단하였다.[185)

○ 법원은 앞서 본 가글디스펜서 사건에서, 피고의 가글 용기가 원고
의 가글 용기와 비교하여 그 규격이 다르기는 하지만, 현재 생산·
판매하고 있는 피고의 용기는 상단에 약간의 힘을 가하면 원고 가
글디스펜서에 큰 어려움 없이 장·탈착할 수 있고, 피고 측은 피고
가글 제품을 판매하면서 원고 가글디스펜서에서도 사용할 수 있다
고 홍보하였으며, 피고가 가글 용기를 다른 규격으로 충분히 제작
할 수 있음에도 원고의 가글디스펜서에 장착될 수 있는 규격으로
제작하게 된 경위에 관하여 합당한 설명을 못하고 있다는 등의 이
유로, 피고의 위와 같은 행위는 원고가 설치한 가글디스펜서를 그
대로 무단 사용하여 원고가 이룩한 성과에 무임승차하려는 것으로
공정한 상거래 관행이나 경쟁질서에 반하는 행위에 해당한다고 판
단하였다.[186)

○ 법원은 채무자가 방탄소년단(BTS) 멤버들의 사진을 대량으로 수록
한 부록과 사진이 포함된 포토카드 등을 무단으로 제작하여 판매
한 사안에서, 채권자(소속사)는 전속계약에 따라 방탄소년단(BTS)의
음악, 공연, 방송, 출연 등을 기획하고, 음원, 영상 등의 콘텐츠를
제작·유통시키는 등 방탄소년단의 활동에 상당한 투자와 노력을
하였고, 그로 인해 방탄소년단(BTS)과 관련하여 쌓인 명성·신용·고
객흡인력이 상당한 수준에 이르렀는데, 이는 '상당한 투자나 노력
으로 만들어진 성과 등'으로 평가할 수 있고 누구나 자유롭게 이

---

185) 대법원 2020. 3. 26. 선고 2016다276467 판결
186) 서울중앙지방법원 2018. 6. 22. 선고 2017가합562146 판결

용할 수 있는 공공영역에 속한다고 볼 수 없으므로, 타인이 이를 무단으로 사용하면 채권자의 경제적 이익을 침해하게 되고, 통상적인 정보제공의 범위를 넘어 특정 연예인에 대한 특집 기사나 사진을 대량으로 수록한 별도의 책자나 DVD 등을 제작하면서 연예인이나 소속사의 허락을 받지 않거나 대가를 지급하지 않는다면 이는 상거래 관행이나 공정한 거래질서에 반하는 부정경쟁행위(카목)에 해당한다고 판단하였다.[187]

○ 법원은 피고가 원고가 운영하는 인터넷 사이트의 자료를 자동적·기계적으로 복제(이른바 '미러링')하여 자신의 사이트를 운영하여 문제된 사안에서, 피고는 원고 사이트의 개별 게시물을 복제하는 것을 넘어서 사이트 전체를 미러링 방식에 의하여 기계적으로 복제하여 피고 사이트에 게시하고 있을 뿐 그 내용을 관리하기 위한 업무를 수행하고 있지 않은 것으로 보이고, 오히려 피고 사이트의 사용자들이 피고 사이트의 문제점을 원고 사이트 게시판에서 문의하고 있는 점, 피고 사이트는 원고 사이트의 내용을 복제하는 것 외에 피고 사이트 고유의 독자적인 내용은 거의 포함하고 있지 않은 점 등에 비추어, 피고의 위 행위는 원고 사이트에 집적된 게시물을 공정한 상거래 관행이나 경쟁질서에 반하는 방법으로 자신의 영업을 위하여 무단으로 이용하는 행위로서 타인성과 무단사용 행위에 해당한다고 판단하였다.[188]

---

187) 대법원 2020. 3. 26.자 2019마6525 결정
188) 서울중앙지방법원 2015. 11. 27. 선고 2014가합44470 판결
    다만, 원고는 위 사건에서 해당 쟁점과 관련하여 주위적으로 데이터베이스제작자로서의 권리 침해, 예비적으로 부정경쟁방지법상 타인성과 무단사용 행위를 주장

○ 반면, 법원은 연예인의 성명 등 키워드를 입력하면 광고주의 사이트를 노출시켜 주는 이른바 '키워드 검색광고'가 문제된 사안에서, 키워드 검색광고는 인터넷 검색 포털사이트에서 일반적으로 사용되는 사업방식으로, 키워드 검색광고의 알고리즘 자체가 구 부정경쟁방지법 제2조 제1호 (차)목(현재 카목)에서 규정하는 공정한 상거래 관행이나 경쟁질서에 반하는 방법이라고 인정하기 어렵다고 판단하였다.[189]

위 요건의 반대해석상 타인의 성과를 이용하는 것이 해당 분야의 상거래 관행에 반하지 않거나, 그러한 이용이 특별히 경쟁질서에 반하는 것이 아니고 오히려 상당한 경쟁을 촉진하는 경우에는 위 (카)목의 부정경쟁행위가 성립하지 않는다.

위 (카)목에 해당하기 위해서는 타인의 성과 등을 자신의 영업을 위하여 무단으로 사용한 경우이어야 하므로, 공익적인 목적으로 사용하거나 자신의 영업과 무관하게 타인의 성과 등을 사용하는 것은 위 (카)목의 부정경쟁행위에 해당하지 않는다. 또한 무단으로 사용하는 행위가 금지되는 것이므로 당사자의 동의 등을 얻어서 성과 등을 사용하는 행위 역시 위 (카)목에 해당하지 않는다.

하였는데, 항소심에서는 원고의 주위적 청구가 인용되면서 예비적 청구인 부정경쟁행위(타인성과 무단사용 행위) 부분에 대해서는 따로 판단이 이루어지지 않았다 (서울고등법원 2016. 12. 15. 선고 2015나2074198 판결).

[189] 서울고등법원 2015. 1. 30. 선고 2014나2006129 판결

라. 타인의 경제적 이익 침해

위 (카)목의 부정경쟁행위는 그로 인하여 타인의 경제적 이익을 침해하였을 때 인정된다. 타인의 경제적 이익을 침해하는 행위로는 검은 양이 타인성과 무단사용 행위를 통해 경쟁사업자의 수요자에게 자신의 상품을 판매함으로써 자신은 매출 상당의 경제적 이익을 얻고, 그로 인하여 경쟁사업자는 매출 감소라는 손해를 입게 하는 경우 등을 생각해 볼 수 있다.

○ 법원은 앞서 본 '에르메스(HERMES)'가 생산·판매하는 켈리 백(Kelly Bag), 버킨 백(Birkin Bag)과 유사한 형태의 핸드백 전면에 별개로 창작한 눈알 모양의 도안을 부착하여 판매한 행위가 문제된 사안에서, 원고들은 켈리 백과 버킨 백의 공급량을 제한해왔는데, 이와 유사한 형태의 피고들 제품이 판매되면서 점차 위 상품표지의 희소성을 유지하는데 장애요소가 될 수 있고, 피고들이 원고들과 동일한 종류의 상품인 피고들 제품을 국내에서 계속 생산·판매하게 되면 원고들 제품에 대한 일부 수요를 대체하거나 원고들 제품의 희소성 및 가치 저하로 잠재적 수요자들이 원고들 제품에 대한 구매를 포기할 가능성이 높아진다는 점에서 원고들의 경제적 이익을 침해한다고 볼 수 있다고 판단하였다.[190]

---

190) 대법원 2020. 7. 9. 선고 2017다217847 판결

마. 다른 부정경쟁행위 등과의 관계

위 (카)목의 부정경쟁행위는 보충적 일반조항(catch-all clause)으로서 다른 부정경쟁행위(가목 내지 차목)가 문제되는 사안에서, 일부 요건이 충족되지 못할 것으로 보이는 경우(예컨대, 상품주체 혼동행위에서 '주지성'이 인정되지 않는 경우 등) 원고 등이 위 (카)목의 부정경쟁행위의 성립을 주장하는 경우가 많다.

그런데 새로 신설된 위 (카)목의 부정경쟁행위를 너무 폭넓게 적용하면 부정경쟁방지법 등 기존 법률체계가 갖출 것을 요구하던 일정한 보호 요건의 존재 의의를 퇴색시킬 우려가 있고, 일반조항으로의 도피로 인하여 법적 안정성이 저해될 우려가 있다. 그러므로 상품표지 등의 사용으로 인한 성과물에 대해서 위 (카)목을 통한 보호를 인정할 수 있는지 여부는 그러한 성과를 이루기 위해 들인 투자나 노력의 정도, 성과의 사회적·경제적 가치의 정도, 검은 양의 행위로 인하여 침해되는 이익의 정도, 모방의 정도, 공정한 상거래 관행이나 경쟁질서에 반하는 정도 등 제반사정을 종합적으로 고려하여 기존 개별조항들에 준하는 정도의 보호를 할 필요가 있는지의 관점에서 매우 신중하게 판단하여야 한다.

또한 이를 판단할 때에는 기존 개별조항들에 대한 법적 보호의 공백이 있는 영역을 매워줄 필요가 있는 특별한 사정이 있는지도 함께 살펴보아야 하는데, 상품표지, 영업표지, 상품형태 등 기존 개별조항들에 의하여 보호받을 수 있는 적격이 있는 식별표지의 경우에는 위와 같은 특별한 사정을 인정받는 것이 상대적으로 더 어려울 것이

다.191)

○ 법원은 영업제공 장소의 전체적인 외관인 트레이드 드레스가 영업표지 등의 요건을 갖추지 못한 경우에 예비적으로 타인성과 무단사용(카목)으로 보호될 수 있는지가 문제된 사안에서, 경쟁자가 위 트레이드 드레스를 무단으로 사용한 행위의 모습이 공정한 상거래 관행이나 경쟁질서에 비추어 정당화될 수 없을 정도로 현저히 위법하여 그러한 무단 사용행위를 금지함으로써 건전한 거래질서를 유지할 필요가 크다는 등의 특별한 사정이 인정되는 때에만 위 (카)목을 적용하여 보호할 수 있다고 판단하였다.192)

○ 소고기 무한리필 음식점 프랜차이즈의 영업표지가 문제된 사안에서, 법원은 채권자의 영업표지는 부정경쟁방지법 (가)목 내지 (다)목에 의하여 보호받을 적격이 있는 상품표지, 영업표지에 해당하나 국내에 널리 인식된 타인의 상품 또는 영업임을 표시한 표지에 해당하지 않으므로(즉, 주지성 요건의 결여), 부정경쟁방지법 (가)목 내지 (다)목에 준하는 보호를 해 주어야 할 특별한 사정이 인정되지 않는 한 채무자가 채권자의 영업표지와 유사한 영업표지를 사용하여 음식점 영업을 하였더라도 타인성과 무단사용 행위(카목)에 해당하지 않는다고 판단하였다.193)

○ 법원은 위 (카)목의 부정경쟁행위와 지식재산권법에 의하여 보호되

---

191) 서울고등법원 2019. 9. 27.자 2018라21047 결정
192) 서울중앙지방법원 2019. 4. 11.자 2018카합21701 결정
193) 위 2018라21047 결정

지 않는 타인의 성과의 관계와 관련하여, 지식재산권법에 의하여 보호되지 않는 타인의 성과는 설령 그것이 재산적 가치를 갖는다고 하더라도 원칙적으로 자유로운 모방과 이용이 가능하고, 다만 예외적으로 그와 같은 타인의 성과 모방이나 이용행위에 공정한 거래질서 및 자유로운 경쟁질서에 비추어 정당화될 수 없는 '특별한 사정'이 있는 경우에만 그와 같은 모방이나 이용행위가 허용되지 않는다고 설명하면서, 위 특별한 사정이 인정되기 위해서는 타인의 성과 모방이나 이용행위의 경과, 이용자의 목적 또는 의도, 이용의 방법이나 정도, 이용까지의 시간적 간격, 타인의 성과물의 취득 경위, 이용행위의 결과 등을 종합적으로 고려하여 거래 관행상 현저히 불공정하다고 볼 수 있어야 한다고 판단하였다. 또한 법원은 위 특별한 사정이 인정되는 행위 유형으로 절취 등 부정한 수단에 의하여 타인의 성과나 아이디어를 취득하거나 선행자와의 계약상 의무나 신의성실의 원칙에 현저히 반하는 형태로 이를 모방하는 행위, 건전한 경쟁을 목적으로 하는 것이 아니라 의도적으로 경쟁자의 영업을 방해하거나 경쟁지역에서 염가로 판매하거나 오로지 손해를 줄 목적으로 타인의 성과물을 이용하는 행위, 성과물의 이용행위를 보호해 주지 않으면 그 성과물을 창출하거나 고객흡인력 있는 정보를 획득한 타인에 대한 인센티브가 부족하게 될 것임이 명백한 경우 등이 있다고 판시하였다.[194]

---

[194] 특허법원 2017. 10. 20. 선고 2016나1950 판결
　　서울고등법원 2017. 1. 12. 선고 2015나2063761 판결 등

참고로, 법원은 영업비밀 침해행위에 해당하지 않는 행위가 타인성과 무단사용 행위(카목)에 해당할 수 있는지에 관해서도 신의칙상 영업비밀 유지의무 위반 등에 해당하여 해당 행위가 위법한 행위라고 볼 만한 특별한 사정이 있는 경우에만 위 (카)목을 적용할 수 있다는 취지로 판단한 바 있다.[195]

---

[195] 서울고등법원 2016. 4. 7. 선고 2015나2015922 판결

11

국기·국장 등의 사용금지

부정경쟁방지법 제2조 제1호 각 목에서 '부정경쟁행위'로 열거하고 있지는 않으나, 파리협약 당사국, 세계무역기구 회원국 또는 상표법 조약 체약국의 국기·국장(國章),[196] 그 밖의 휘장이나 국제기구의 표지와 동일하거나 유사한 것을 상표로 사용하는 행위는 부정경쟁방지법 제3조 제1항에 따라 금지된다. 다만, 해당 국가 또는 국제기구의 허락을 받고 사용하는 것은 허용된다.

마찬가지로, 파리협약 당사국, 세계무역기구 회원국 또는 상표법 조약 체약국 정부의 허락 없이 해당 정부의 감독용 또는 증명용 표지와 동일하거나 유사한 것을 상표로 사용하는 행위 역시 금지된다(부정경쟁방지법 제3조 제2항).

여기서 국제기구의 표지에는 문장(紋章)뿐만 아니라 약칭 또는 명칭 등도 포함된다(예를 들어 WTO, WIPO, IMF 등). 정부의 감독용 표지는 산업이나 무역 통제 등의 측면에서 행정청이 감독상의 필요에 따라 특정 상품에 붙이는 표지를, 정부의 증명용 표지는 행정청이 상품의 특정 사항(수량, 원산지, 품질, 효능 등)을 증명하기 위하여 특정 상품에

---

[196] 특정 국가를 상징하는 공식적인 표장(標章)을 통틀어 이르는 말이다.

붙이는 표지를 각 의미한다.

위 국기·국장 등의 사용금지 규정의 나머지 요건들은 앞에서 원산지·생산지·품질 오인 유발행위에 관하여 살펴보면서 함께 설명하였던 '자유무역협정에 따라 보호하는 지리적 표시의 사용금지 등(부정경쟁방지법 제3조의2)'의 요건과 상당 부분 중복되므로, 여기서 다시 살펴보지는 않는다.

'영업비밀'은
어떻게
보호되는가?

1

들어가며

이 책의 서두에서 설명하였던 것처럼 부정경쟁방지법은 '부정경쟁행위'와 '영업비밀 침해'를 방지하는 것을 목적으로 하고 있고, 그중 부정경쟁행위에 대해서는 앞에서 자세히 살펴보았다. 그렇다면 이제는 '영업비밀 침해'에 대해서 살펴볼 차례이다.

기업은 그 경영활동 과정에서 거래처 정보, 고객 정보, 원가 정보 등 다양한 정보를 보유하게 되는데, 이러한 정보들 중에는 특허법이나 저작권법 등 다른 법률의 보호 범위에 속하지 않는 정보들도 존재한다. 그런데 이러한 정보들 중에는 기업들의 경영활동에 대한 의욕을 고취하고 건전한 거래질서의 확립을 위해 검은 양의 부당한 침해행위를 방지해야 할 가치 있는 정보들도 포함되어 있다. 그래서 부정경쟁방지법은 일정한 요건을 갖춘 기업의 정보를 '영업비밀'로 인정하여 보호하고 있다.

영업비밀 침해에 대한 설명 또한 '영업비밀'이 도대체 무엇이고, 어떤 행위가 '영업비밀 침해'를 구성하는지를 먼저 살펴보아야 한다. 이는 부정경쟁방지법 제2조 제2호, 제3호 (가)목 내지 (바)목에서 구체적으로 규정하고 있다.

부정경쟁방지법 제2조(정의)

이 법에서 사용하는 용어의 뜻은 다음과 같다

2. "영업비밀"이란 공공연히 알려져 있지 아니하고 독립된 경제적 가치를 가지는 것으로서, 비밀로 관리된 생산방법, 판매방법, 그 밖에 영업활동에 유용한 기술상 또는 경영상의 정보를 말한다.

3. "영업비밀 침해행위"란 다음 각 목의 어느 하나에 해당하는 행위를 말한다.

　가. 절취(竊取), 기망(欺罔), 협박, 그 밖의 부정한 수단으로 영업비밀을 취득하는 행위(이하 "부정취득행위"라 한다) 또는 그 취득한 영업비밀을 사용하거나 공개(비밀을 유지하면서 특정인에게 알리는 것을 포함한다. 이하 같다)하는 행위

　나. 영업비밀에 대하여 부정취득행위가 개입된 사실을 알거나 중대한 과실로 알지 못하고 그 영업비밀을 취득하는 행위 또는 그 취득한 영업비밀을 사용하거나 공개하는 행위

　다. 영업비밀을 취득한 후에 그 영업비밀에 대하여 부정취득행위가 개입된 사실을 알거나 중대한 과실로 알지 못하고 그 영업비밀을 사용하거나 공개하는 행위

　라. 계약관계 등에 따라 영업비밀을 비밀로서 유지하여야 할 의무가 있는 자가 부정한 이익을 얻거나 그 영업비밀의 보유자에게 손해를 입힐 목적으로 그 영업비밀을 사용하거나 공개하는 행위

　마. 영업비밀이 라목에 따라 공개된 사실 또는 그러한 공개행위가 개입된 사실을 알거나 중대한 과실로 알지 못하고 그 영업비밀을 취득하는 행위 또는 그 취득한 영업비밀을 사용하거나 공개하는 행위

　바. 영업비밀을 취득한 후에 그 영업비밀이 라목에 따라 공개된 사

실 또는 그러한 공개행위가 개입된 사실을 알거나 중대한 과실로 알지 못하고 그 영업비밀을 사용하거나 공개하는 행위

영업비밀 및 그 침해행위의 경우에도 위 조문 내용만으로는 바로 실제 사안에 적용하기 어려운 것이 사실이다. 그러므로 어떤 경우에 영업비밀로 취급되고 어떤 행위가 영업비밀 침해행위에 해당하는지를 실제 사례 및 관련 판례의 내용 등과 함께 살펴볼 필요가 있다.

2

'영업비밀'이란
도대체 무엇인가?

부정경쟁방지법 제2조 제2호는 영업비밀을 "공공연히 알려져 있지 않고(비공지성) 독립된 경제적 가치를 가지는 것으로서(경제적 유용성), 비밀로 관리된(비밀관리성) 생산방법, 판매방법, 그 밖에 영업활동에 유용한 기술상 또는 경영상의 정보를 말한다."라고 규정하고 있다.

즉, 부정경쟁방지법상 영업비밀로 취급되기 위해서는 ① 비공지성, ② 경제적 유용성, ③ 비밀관리성의 요건을 모두 충족하여야만 한다.

영업비밀 = 비공지성 + 경제적 유용성 + 비밀관리성

이하에서 각 요건별로 살펴보기로 한다.

가. 공공연히 알려져 있지 않을 것

영업비밀의 요건 중 '공공연히 알려져 있지 않을 것(비공지성)'은 정보가 간행물 등의 매체에 실리는 등 불특정 다수인에게 알려져 있지 않기 때문에 보유자를 통하지 않고는 정보를 통상 입수할 수 없는 것을 말한다.[197] 설령 보유자가 비밀로서 관리하고 있다고 하더라도 당해 정보의 내용이 이미 일반적으로 알려져 있을 때에는 영업비밀이라고 할 수 없다.[198] 예컨대, ㈜착한기업의 직원 김배신이 회사의 기밀정보를 검은 양에게 돈을 받고 넘겼는데 알고 보니 위 기밀정보가 이미 오래 전에 다른 직원의 실수로 인터넷상에 공개된 상태였다고 가정해 보자. 이 경우, 위 기밀정보는 비공지성 요건을 충족하지 못하기 때문에 영업비밀로 인정받지 못할 것이다.

○ 음료나 맥주의 용기에 내용물의 온도를 확인할 수 있는 열감지테이프나 열감지잉크 등의 온도감응수단을 부착하는 아이디어가 문제된 사안에서, 법원은 해당 아이디어가 국내에서 사용된 바는 없다 할지라도 같은 아이디어가 국외에서 이미 공개나 사용됨으로써 그 아이디어의 경제적 가치를 얻을 수 있는 자에게 알려져 있는 상태에 있었으므로, 위 아이디어는 부정경쟁방지법에서 말하는 영업비밀이라고 볼 수 없다고 판단하였다.[199]

다만, 비공지성을 상실한 것으로 인정되려면 널리 일반에 공개되거나 그러한 가능성이 있는 상태에 놓여져야 하므로 기술정보 등이 특정한 목적으로 한정된 범위의 상대방에게만 제공되고 그 상대방이 더 공개할 가능성이 없다면 비공지성을 상실한 것으로 볼 수 없다.[200]

---

197) 대법원 2011. 7. 14. 선고 2009다12528 판결
198) 대법원 2004. 9. 23. 선고 2002다60610 판결
199) 서울지방법원 1997. 2. 14. 선고 96가합7170 판결
200) 서울동부지방법원 2019. 7. 17. 선고 2019고단729 판결

○ 법원은 입찰에 참여하여 납품업체로 선정되었거나 그 방위산업체로 지정받은 업체가 국방규격 작성 관리기관의 국방규격 기술자료 제공 범위 등에 관한 검토 및 승인을 거쳐 해당 설계도면을 제공받을 수 있었던 사안에서, 해당 업체는 보안서약을 하고 국방규격의 회수 또는 파기 등의 제반조건을 준수해야 하는 사실을 인정할 수 있으므로, 위와 같이 납품업체로 선정되었거나 방위산업체로 지정받은 업체가 해당 설계도면을 열람할 수 있다는 사정만으로 해당 설계도면의 기술정보가 불특정 다수인에게 알려져 있다고 볼 수는 없다고 판단하였다.[201]

영업비밀에 해당하는 정보 중 일부를 공개적으로 수집할 수 있는 경우에는 그 공개된 정보가 전체 정보에서 차지하는 비중과 공개된 정보의 성질 등을 종합적으로 고려하여 비공지성 요건의 충족 여부를 판단하여야 한다.

예를 들어, 법원은 영업비밀 해당 여부가 문제된 기술정보에 포함되어 있는 일부 부품의 규격, 치수, 재질 및 시험방법에 관한 정보를 인터넷이나 간행물을 통해 부분적으로 수집할 수 있었던 사안에서, 위와 같이 공개적으로 수집할 수 있는 정보의 비중은 위 기술정보 전체의 분량에 비하여 매우 적고, 원고 회사와 대등한 지위에 있는 다른 자동차 제조업체의 기술정보 등이 인터넷이나 간행물을 통해 공지되지는 않은 점, 위 기술정보는 원고 회사 및 그 전신인 ○○회사가

---

[201] 서울고등법원 2016. 6. 2. 선고 2015나2009569 판결

설립 후 오랜 기간 동안 자동차를 설계 및 제조하는 과정에서 반복된 시험 등을 거쳐 얻은 결과물 등에 해당하는 점에서 인터넷이나 간행물 등을 통해 부분적으로 수집할 수 있는 정보와는 그 성격을 달리하여 외부로 유출될 경우 후발 경쟁업체가 자동차를 개발할 때 기간 단축의 효과를 가져올 수 있는 점 등에 비추어, 비록 위 기술정보 중 일부를 인터넷이나 간행물 등을 통해 부분적으로 수집할 수 있다 하더라도 이러한 사정만으로는 위 기술정보가 영업비밀로서의 비공지성을 충족하는 데 방해가 되지 않는다고 판단하였다.[202]

반면, 법원은 원고의 선박조명 등 설계도면 중 일부가 카탈로그 형태로 관련자들에게 공개되어 있고, 그 카탈로그 및 제품 분해 등을 통해 원고의 선박조명 등의 형상 및 치수를 손쉽게 역설계할 수 있었던 사안에서, 역설계를 통해 취득한 정보는 역설계가 정당한 기술정보의 획득 방법으로 인정되는 이상 그 정보를 부정취득하였다고 할 수 없고, 역실계를 통하여 취득힐 수 있는 정보 중 그 기술 자체기 단순하고 이를 구현한 제품을 시중에서 쉽게 구할 수 있으며 그 기술정보가 해당 기술에 지식과 경험을 가진 자가 몇 시간 또는 며칠 안에 역설계를 통해 손쉽게 획득할 수 있는 정도의 것이라면 비공지성이나 경제적 유용성을 인정하는 데에는 신중을 기하여야 한다고 전제한 후, 위 원고의 설계도면은 그 전체로서의 구체적인 기술정보의 내용이 공연히 알려져 있거나 공개된 자료에 의해 쉽게 접근할 수 있는 정보이므로 영업비밀로서의 비공지성이 인정되지 않는다고 판단하였

---

202) 서울중앙지방법원 2011. 2. 23. 선고 2010가합31018 판결

다.203)

    기업이 영업비밀에 해당하는 정보에 관하여 특허를 출원하는 경우에는 어떻게 될까? 특허출원을 하기 위한 특허출원서에는 발명의 명세서와 필요한 도면 및 요약서를 첨부하여야 한다(특허법 제42조 제2항). 또한 발명의 상세한 설명에는 그 발명이 속하는 기술분야에서 통상의 지식을 가진 자가 용이하게 실시204)할 수 있을 정도로 그 발명의 목적·구성 및 효과를 기재하여야 하고, 특허청구범위에는 그 발명을 명확하고 간결하게 기재하여야 한다(특허법 제42조 제3항).

    위와 같은 특허출원은 원칙적으로 특허공보에의 게재를 통한 공개를 예정하고 있기 때문에(특허법 제64조 제1항), 어떤 발명에 대하여 특허가 출원된 경우 해당 기술분야에서 통상의 지식을 가진 자라면 누구든지 공개된 자료를 보고 위 발명을 실시할 수 있다. 그러므로 어떤 정보가 특허로 출원되어 공개되었다면 해당 정보에 대해서는 더 이상 비공지성의 요건이 충족되지 않을 것이고, 만약 특허로 출원된

---

203) 부산지방법원 2017. 8. 9. 선고 2016가합4337 판결
204) 특허법 제2조(정의)
    이 법에서 사용하는 용어의 뜻은 다음과 같다.
    3. "실시"란 다음 각 목의 구분에 따른 행위를 말한다.
        가. 물건의 발명인 경우: 그 물건을 생산·사용·양도·대여 또는 수입하거나 그 물건의 양도 또는 대여의 청약(양도 또는 대여를 위한 전시를 포함한다. 이하 같다)을 하는 행위
        나. 방법의 발명인 경우: 그 방법을 사용하는 행위 또는 그 방법의 사용을 청약하는 행위
        다. 물건을 생산하는 방법의 발명인 경우: 나목의 행위 외에 그 방법에 의하여 생산한 물건을 사용·양도·대여 또는 수입하거나 그 물건의 양도 또는 대여의 청약을 하는 행위

정보가 포함되어 있는 정보를 영업비밀로 주장하고자 한다면, 그 특허출원된 내용 이외에 어떠한 정보가 영업비밀로 관리되고 있고 어떤 면에서 경제성을 갖고 있는지를 구체적으로 특정하여 주장·입증하여야 한다.[205]

○ 특허출원을 마치고 등록한 이동식교각에 관한 제조기술이 문제된 사안에서, 법원은 원고는 제3자가 특허출원하여 등록한 이동식교각에 관한 특허권의 전용실시권자로서 위 특허출원과 동일한 이동식교각을 제작·생산하고 있으므로, 원고의 위 이동식교각에 관한 제조기술 자체는 특허출원으로 인하여 이미 공개되었다고 할 것이어서 그 비밀성을 상실하였다고 보아야 한다고 판단하였다.[206]

나. 독립된 경제적 가치를 갖는 영업활동에 유용한 기술상·경영상 정보일 것

어떤 정보가 영업비밀이 되려면 그 정보는 '독립된 경제적 가치를 갖는 영업활동에 유용한 기술상 또는 경영상의 정보'이어야 한다(경제적 유용성). 여기서 어떤 정보가 독립된 경제적 가치를 갖는다는 것은 그 정보의 보유자가 그 정보의 사용을 통해 경쟁자에 대하여 경쟁상의 이익을 얻을 수 있거나 또는 그 정보의 취득이나 개발을 위해 상당한 비용이나 노력이 필요하다는 것을 말한다.[207] 이러한 경제적 유용성은 상대적인 것이고 그 요구되는 정도도 높지 않다고 해석되므

---

205) 대법원 2004. 9. 23. 선고 2002다60610 판결
206) 위 2002다60610 판결
207) 대법원 2008. 2. 15. 선고 2005도6223 판결

로, 비교 우위가 근소하거나 비교 우위를 점할 수 있는 기간이 영구적 또는 장기간이 아니라고 하더라도 경쟁상의 이익을 얻을 수 있는 것으로 평가될 수 있다.[208] 이에 관하여 법원은 어떠한 정보가 영업비밀로서의 요건을 모두 갖추었다면, 그 정보가 바로 영업활동에 이용될 수 있을 정도의 완성된 단계에 이르지 못하였거나, 실제 제3자에게 아무런 도움을 준 바 없거나, 누구나 시제품만 있으면 실험을 통하여 알아낼 수 있는 정보라고 하더라도, 그 정보를 영업비밀로 보는 데에 장애가 되지 않는다고 판단하기도 하였다.[209]

기술상 또는 경영상의 정보에는 해당 기업이 보유하고 있는 제품개발, 생산, 시험 등에 필요한 산업기술상의 정보뿐만 아니라, 거래처, 고객에 관한 정보, 원가정보, 결제 관련 통계 등 경영상의 정보 역시 포함된다.

○ 법원은 전기이중층커패시터(EDLC)[210]의 제조 등에 관한 정보가 문제된 사안에서, ① 해당 정보가 회사의 핵심사업에 관한 정보인 점, ② 회사가 직원이나 협력업체로부터 영업비밀 유지에 관한 서약서 등의 서면을 제출받는 등의 방법으로 해당 정보를 포함한 기술정보나 영업정보의 사외 유출을 막기 위한 조치를 강구하였다는 점, ③ 회사가 해당 정보의 획득에 상당한 시간과 노력을 들였고

---

[208] 최정열·이규호, 앞의 책, 288쪽
[209] 대법원 2008. 2. 15. 선고 2005도6223 판결
[210] 고체전극과 전해질 사이에 발생하는 전기이중층에 축적되는 전하를 이용하는 장치이다.

그 정보 자체도 회사의 실정에 맞게 최적화된 기술정보와 영업정
보라는 점, ④ 후발경쟁업체가 해당 정보를 취득하는 경우 최소한
의 시간과 비용을 투자하여 회사와 동일한 수준의 제품을 개발할
수 있고 회사와의 경쟁에서 우위를 점할 수 있는 영업전략을 수립
하는 데에도 매우 유용한 자료로 활용될 수 있는 점, ⑤ 회사의
전기이중층커패시터(EDLC) 관련 기술은 정부에 의해 차세대 성장
동력기술 중의 하나로 선정되고 정부출연금이 지원될 정도로 공인
된 기술이라는 점 등을 이유로 해당 정보가 독립된 경제적 가치를
갖는 정보에 해당한다고 판단하였다.[211]

○ 법원은 회원들의 가입일, 진행하고 있는 수업의 과목명, 자녀 이름,
전화번호, 휴대폰 번호, 주소 등과 같은 정보가 포함되어 있는 '회
원정보'가 문제된 사안에서, 원고의 교재는 주로 교육서비스를 함
께 제공하는 것을 전제로 제작·판매된 점, 원고는 원고 교재를 구
입하거나 위탁계약을 체결한 교사들이 모집한 사람들을 원고 회사
회원으로 등록한 다음 그 회원들을 대상으로 계속하여 교재를 판
매하면서 수업을 제공하거나 새로운 상품 등을 홍보하며 수익을
추구해 온 점 등에 기초하여 위 회원정보가 독립된 경제적 가치를
가지는 영업비밀에 해당한다고 판단하였다.[212]

○ 필기구 제조업체의 잉크제조 원료가 되는 10여 가지의 화학약품의
종류, 제품 및 색깔에 따른 약품들의 조성비율과 조성방법에 관한
기술정보에 관하여, 법원은 위 기술정보가 회사의 가장 중요한 경

---

[211] 대법원 2011. 7. 28. 선고 2009도8265 판결
[212] 서울고등법원 2012. 9. 19. 선고 2012나1391 판결

영요소 중 하나로서, 그 기술정보가 짧게는 2년, 길게는 32년의 시간과 많은 인적·물적 시설을 투입하여 연구·개발한 것인 점, 위 기술정보는 회사에서 생산되는 제품 중 90% 이상의 제품에 사용되는 것으로서 실질적으로 회사(기술정보 보유업체)의 영업의 핵심적 요소인 점 등에 근거하여 위 기술정보가 독립한 경제적 가치가 있는 정보라고 판단하였다. 한편, 법원은 위 사안에서 회사가 외국의 잉크제품을 분석하여 이를 토대로 위 기술정보를 보유하게 되었다거나, 위 잉크제품에 대한 역설계가 허용되고 역설계에 의하여 다른 회사에서 위 기술정보를 획득하는 것이 가능하다고 하더라도 그러한 사정만으로는 위 기술정보가 영업비밀이 되는 데에 지장이 없다고도 판단하였다.[213]

○ 법원은 직원이 회사를 그만두면서 백색 발광다이오드(White LED) 제조를 위한 부품과 원료의 배합비율, 제조공정을 기술한 자료와 회사가 시제품의 품질을 확인하거나 제조기술 향상을 위한 각종 실험을 통해 확인한 결과를 기재한 자료를 가져간 사안에서, 위 자료가 영업비밀에 해당한다고 판단하였다.[214]

○ LCD 제품의 개발·제조 등을 하는 피해회사의 직원이 회로설계도면에 담긴 온도보상회로도를 비롯한 정보를 유출한 사안에서, 법원은 그것이 CSTN LCM 제작의 핵심 또는 첨단기술에 해당하여 그 도면의 유출로 피해회사 기술경쟁력에 엄청난 위해를 가져온다고 단정할 수는 없다 하더라도, 위 정보는 외부로 유출될 경우 경쟁

---

213) 대법원 1996. 12. 23. 선고 96다16605 판결
214) 대법원 2008. 2. 15. 선고 2005도6223 판결

III. '영업비밀'은 어떻게 보호되는가? 155

사, 특히 후발경쟁업체의 엔지니어로서는 같은 종류의 CSTN LCM
을 개발·제조하는 데에 참고할 만한 가치가 있는 유용한 정보라고
보는 것이 상당하다고 판단한 후, 피해회사로서는 각 회로설계도면
을 포함한 CSTN LCM을 개발하기 위하여 상당한 시간과 비용을
들였고, 침해자 개인들로부터 비밀유지서약서를 받았으며, 반출증
제도와 산업보안관리규정을 시행하여 비밀유지를 위한 상당한 노
력을 기울이고 있었다는 등의 이유로 위 정보가 영업비밀에 해당
한다고 판단하였다.[215]

○ 법원은 중계기 회사에서 관리하던 회로도가 문제된 사안에서, 회로
도란 부품의 배열, 부품의 연결, 부품의 규격과 전기적 수치 등을
공인된 기호를 사용하여 단면에 표시한 도면으로서 회로도를 설계
함에 있어 가장 중요한 부분은 소자의 선택과 소자의 배열 등이고,
향후 제품에서 실현할 구체적 기능 구현을 완성하기 위해서 주어
진 규격에 따른 성능 테스트 등을 통해 세부 규격을 정하는 과정
을 거쳐야만 하므로, 설령 회로도에 담긴 추상적인 기술사상이 공
지되었다고 하더라도 위와 같은 과정을 거쳐 완성되는 회로도의
독립된 경제적 가치를 부정할 수는 없다고 판단하였다.[216]

○ 법원은 자연법칙에 위배되는 실패한 기술이 경제적 유용성을 갖는
지 등이 문제된 사안에서, 원고의 특허는 외부의 에너지 공급없이
지속적으로 원적외선을 발생시키는 것을 내용으로 하고, 이러한 원
리는 에너지 보존법칙이라는 자연 법칙에 위배되는 것으로 보이기

---

[215] 대법원 2005. 9. 15. 선고 2004도6576 판결
[216] 대법원 2008. 2. 29. 선고 2007도9477 판결

는 하지만, 경쟁 업체로서는 독자적인 연구와 실험을 거치지 않고 원고의 기술정보를 통해 비록 실패한 기술이라 하더라도 시행착오를 줄일 수 있고, 자신의 제조 공정 등과 비교·보완함으로써 공정한 경쟁자보다 유리한 출발을 하거나 시간 절약을 할 수 있을 것으로 보이는 점 등에 비추어 보면 위 기술정보는 영업비밀로서 경제적 유용성을 갖추었다고 봄이 상당하다고 판단하였다.[217]

그 밖에 독립된 경제적 가치를 갖는 기술상·경영상의 정보로는 제품의 설계정보, 부품의 규격이나 가공방법, 공정이나 검수 기준에 관한 정보, 공급계획 또는 판매계획, 원료의 구매처 정보, 원재료의 혼합 방법, 고객 관련 통계, 제품이나 대리점의 마진율, 공급처별 할인율, 업체 수수료 등을 생각해 볼 수 있다.

○ 법원은 프랜차이즈 멕시코 음식점 레시피의 영업비밀성이 문제된 사안에서, 원고 식당의 소스, 레시피 등은 피고가 원고 식당에서 일하는 동안 주방에 A4 용지 등에 인쇄되어 비치되어 있어 이를 영업비밀로 인정하기 어렵고, 원고 식당의 소스의 맛이나 종류, 구성이 다른 멕시코 전문 음식점과 특별히 차별화되어 있음을 인정할 아무런 증거가 없어서 위 레시피가 독립한 경제적 가치를 가지는 것으로 보기에 부족하다고 판단하였다.[218]

---

[217] 서울중앙지방법원 2015. 2. 5. 선고 2011가합117339 판결
  같은 취지로 서울지방법원 2002. 10. 1. 선고 2000가합54005 판결이 있다.
[218] 서울중앙지방법원 2019. 10. 10. 선고 2018가합566909 판결

○ 법원은 일일 생산량과 월 생산량에 관한 정보가 문제된 사안에서, 해당 정보는 이를 비밀로 유지·관리하는 노력을 하는 정보로 보기 어렵고 관련 업체들 역시 여러 매체를 통한 회사 소개 시 자사의 생산량을 소개하고 있는 사실에 비추어 그 자체가 정보 취득을 위한 상당한 노력이나 비용을 필요로 하는 경제적 유용성을 가진다고 보기 어렵다고 판단하였다.[219]

다. 비밀로 관리되고 있을 것

영업비밀의 요건 중 '비밀로 관리되고 있을 것(비밀관리성)'은 정보가 비밀이라고 인식될 수 있는 표시를 하는 등으로 객관적으로 정보가 비밀로 유지·관리되고 있다는 사실을 인식할 수 있는 것을 말한다.[220] 이는 영업비밀의 개념상 당연한 요건인데, 사업주 스스로도 '비밀'로 유지·관리하고 있지 않은 정보를 영업비밀로 인정하여 보호할 필요는 없기 때문이다. 당초 부정경쟁방지법은 비밀 유지를 위해 '상당한 노력'을 하였을 것을 요구하였는데, 그것이 2015년 법 개정을 통해 '합리적인 노력'만을 요구하는 것으로 변경되었고, 2019년 개정된 법에서는 '합리적인 노력' 부분마저 삭제함으로써 비밀 관리의 요건을 더욱 완화하였다.[221]

영업비밀 보유자가 기술상 또는 영업상의 정보를 비밀로 유지·관리

---

219) 대법원 2003. 1. 24. 선고 2001도4331 판결
220) 대법원 2011. 7. 14. 선고 2009다12528 판결
221) 특허청 연구자료(법무법인 다눔), 앞의 책, 81쪽

하고 있었는지는 어떠한 기준에 따라 판단될까? 이는 다음과 같은 실제 사례들을 통해서 확인할 수 있다.[222]

○ 법원은 앞서 본 전기이중층커패시터(EDLC)의 제조 등에 관한 정보가 문제된 사안에서, ① 회사가 사내보안 규정 및 전산보안 규정을 마련하여 운영하는 한편 그 규정에 따라 보안책임자를 둔 점, ② 회사가 여러 경로를 통해 직원들에게 보안의 중요성을 강조하면서 입사 또는 퇴사하는 직원으로부터 비밀유지 관련 서약서 등을 제출받고 협력업체에게서도 비밀유지에 관한 서면을 제출받는 등 영업비밀이 외부로 유출되지 않도록 관리한 점, ③ 회사가 출입카드와 지문인식장치를 설치하여 직원 이외의 외부인들의 회사 출입을 통제하였고 회사 곳곳에 보안에 관한 홍보물, 출입금지 및 사진촬영금지 표시 등을 부착해 놓기도 한 점, ④ 회사가 회사 내부 곳곳에 폐쇄회로텔레비전(CCTV)을 설치하고 컴퓨터 접속 및 자료 유출 기록 등을 파악할 수 있는 컴퓨터프로그램을 설치하여 가동한 점 등을 근거로, 해당 정보가 영업비밀로 유지·관리되었다고 판단하였다.[223]

○ 법원은 앞서 본 '회원정보'가 문제된 사안에서, 원고와 교사들 사

---

[222] 여기서 소개하는 판결들은 개정 전 요건(상당한 노력 또는 합리적인 노력)에 따른 것들이 대부분이다. 다만, 비밀관리성 요건의 완화를 통해 요구되는 노력의 수준이 경감되었을 뿐 어떤 부분의 사실관계를 살펴보아야 하는지까지 달라지게 된 것은 아니므로, 법원이 기존에 비밀관리성 요건의 충족 여부를 판단할 때에 주목한 사실관계는 개정된 부정경쟁방지법(단순히 비밀로 관리되었을 것만을 요구)하에서도 충분히 참고할 수 있을 것으로 보인다.

[223] 대법원 2011. 7. 28. 선고 2009도8265 판결

이에 체결된 위탁계약에서 교사들이 회원정보 등을 교사들의 영리활동이나 기타 원고를 제외한 자를 위하여 사용할 수 없음을 규정하고 있는 점(=계약상 사용제한 규정), 원고는 위 회원정보를 원고의 회원관리 홈페이지를 통하여 관리하고 있는데 위 홈페이지에 접속하기 위해서는 교사 개인별로 부여되는 아이디와 비밀번호를 입력하여야 하고 접속 후에도 오직 해당 교사가 관리하는 회원의 정보만 열람할 수 있는(=정보에의 접근 제한) 점 등에 기초하여 위 회원정보가 상당한 노력에 의하여 비밀로 유지된 영업비밀에 해당한다고 판단하였다.[224]

○ 법원은 중소기업의 배기밸브 스핀들[225] 관련 기술자료 등이 문제된 사안에서, 원고가 보안관리규정을 제정하고 위 기술자료를 비밀로 분류한 점, 원고가 각종 도면 및 영업자료의 보관책임자를 지정하고 이를 지정 캐비닛에 넣어 관리하면서 메인 컴퓨터에 접근할 수 있는 임직원을 연구소 직원 및 소수의 임원으로 엄격히 한정하여 위 기술자료에 접근할 수 있는 대상자나 그 접근방법이 제한되어 있었던 점, 원고는 임직원들을 상대로 보안각서를 징구하고 임직원 퇴직 시에는 영업비밀보호서약서를 제출받기도 한 점 등에 기초하여, 위 기술자료가 비밀로 유지·관리되고 있다는 사실은 객관적으로 인식 가능한 상태에 있었음을 충분히 인정할 수 있다고 판단하였다.[226]

---

224) 서울고등법원 2012. 9. 19. 선고 2012나1391 판결
225) 배기구(排氣口)를 닫기 위한 밸브의 축(軸)을 담당하는 기계 부품이다. 선박 디젤엔진 등의 핵심 부품으로 사용된다.
226) 부산지방법원 2011. 9. 29. 선고 2010가합12640 판결

법원은 다음과 같은 사례들에서는 비밀관리성을 부정하였다. 다만, 아래 사례들을 모두 개정 부정경쟁방지법의 완화된 요건이 아닌 상당한 노력 또는 합리적인 노력에 의하여 비밀로 관리되었을 것을 요구하던 구법(舊法)에 따른 것으로, 현행 부정경쟁방지법하에서는 비밀관리성 요건을 충족할 여지도 있다.

○ 법원은 주주 명부 등 경영상 정보의 비밀관리성이 문제된 사안에서, 영업비밀 보유자라고 주장하는 원고가 일부 피고로부터 재직 중 비밀준수서약서를 제출받은 사실이나 원고의 부서별 공용서버와 직원 개인 컴퓨터에 아이디와 비밀번호가 설정된 사실은 인정하면서도, 위 경영상 정보들에 영업비밀등급이 표시되지 않았고 관리에 대한 내부적인 지침이 없었던 점, 위 정보들은 피고 일부가 원고에 재직하던 중 부서 공용서버의 공용폴더에 저장된 자료 또는 업무를 하면서 생산한 파일을 이메일로 전송하거나 순차적으로 퇴사하면서 외장하드나 노트북에 저장하는 방법으로 취득한 것인데, 팀원이면 하나의 아이디와 비밀번호로 공용서버의 공용폴더에 접근할 수 있는 점, 피고 일부가 경영지원실 실장 지시로 비상시에 대비하여 업무 관련 자료를 외장하드에 백업해 두었다는 사실 등을 원고가 알면서도 그들이 퇴사할 때 적절한 조처를 하지 않은 점 등에 비추어 보면, 위 경영상 정보들이 객관적으로 비밀로 유지·관리되고 있다는 사실이 인식 가능한 상태에 있었다고 인정하기에 부족하고 달리 이를 인정할 만한 증거가 없으므로, 위 경영상 정보들을 부정경쟁방지법에서 정한 영업비밀이라고 할 수 없다고

판단하였다.227)

○ 법원은 해당 기술정보와 관련된 문서에 '무단복사', '이 문서에 대한 모든 책임은 출력자에게 있습니다', '社外秘(confidential)' 등을 기재하여 놓은 사안에서, 위와 같은 사실만으로는 위 기술정보를 상당한 노력을 들여 비밀로 유지하려는 노력을 기울였다고 인정하기에 부족하고, 오히려 위 기술정보에 관한 문서나 설계도면 등을 개발자들의 책꽂이에 바인더로 꽂아 놓고 회사 밖으로도 가지고 나갈 수 있도록 한 사실에 비추어 보면 해당 기술정보를 비밀로서 관리한 것으로 볼 수 없다고 판단하였다.228)

영업상의 정보 등이 비밀로서 유지·관리되고 있었는지를 판단할 때에는 해당 영업비밀 보유자의 회사 규모(대기업과 중소기업), 구성원 수(직원 수 1,000명인 회사와 직원 5명의 사업장), 주력제품(고도의 첨단기술이 사용되는 제품을 생산하는 회사와 일반적인 공산품을 생산하는 업체) 등 영업비밀 침해를 주장하는 영업비밀 보유자의 개별적인 특성에 따라 요구되는 비밀관리의 정도가 달라질 수 있다.

법원 역시 앞서 본 배기밸브 스핀들 사건에서 영업비밀 침해를 주장한 원고가 20~30명 내외의 소규모 직원으로 운영되던 중소기업이어서 대기업 수준의 치밀한 영업비밀 관리 시스템을 갖추지는 못하였던 것으로 보인다고 판단하면서도, 원고의 다른 여러 조치들에 기초하여 원고가 해당 정보를 비밀로 유지·관리하여 왔다고 인정하

---

227) 서울서부지방법원 2015. 2. 5. 선고 2013가합31847 판결
228) 수원지방법원 2007. 11. 9. 선고 2006가합17631 판결

였다.[229]

○ 법원은 IT업체의 영업비밀이 문제된 사안에서, 피해회사가 IT업체이기 때문에 영업비밀이 '문서'임을 전제로 비밀등급, 비밀보존기간 표시 여부나 특정한 장소의 보관 여부 등을 기준으로 비밀관리성을 판단할 것이 아니라 영업비밀이 '파일'로 되어 있는 이상 상당한 노력을 들여 '전산 보안시스템'을 구축함으로써 비밀을 관리해 왔는지를 판단해야 한다고 판시하였고, 위 사안에서 피해회사가 서버별·폴더별로 중요도에 따라 파일을 구분하여 관리하면서 이에 접근할 수 있는 권한 자체를 차등화한 점, 각종 보안 프로그램과 솔루션을 이용한 상시 모니터링 시스템을 통해 실시간 감시를 하면서 내부 직원에 한하여 등록된 PC에서 등록된 ID를 이용해서만 내부망에 접속할 수 있도록 한 점 등에 기초하여 문제된 자료가 상당한 노력에 의하여 비밀로 유지된 영업비밀에 해당한다고 판단하였다.[230]

또한 위와 같은 비밀관리성은 침해행위자와 목적물에 따라서도 상대적으로 평가될 수밖에 없다. 이미 회사 내부적으로 해당 영업비밀에 대하여 업무상 접근 권한이 주어진 직원이 침해행위자인 경우 그

---

229) 부산지방법원 2011. 9. 29. 선고 2010가합12640 판결
같은 취지의 판결로 의정부지방법원 고양지원 2017. 7. 14. 선고 2015고단3315 판결, 서울동부지방법원 2018. 4. 20. 선고 2018노79 판결, 인천지방법원 2018. 5. 4. 선고 2017노4721 판결도 있다.
230) 서울동부지방법원 2018. 4. 20. 선고 2018노79 판결

에 대한 접근 제한 조치의 상당성을 따지는 것은 무의미할 뿐 아니라 개념적으로도 모순이기 때문이다. 마찬가지로 비밀로서의 표시도 영업비밀의 나머지 요건, 즉 외부에 알려져 있지 않고 경제적 가치를 가지며, 유출될 경우 큰 손해를 가져오는 자산이라는 것을 충분히 알고 있는 직원과의 관계에서 표시를 하지 않았다고 하여서 이를 침해 행위자의 비밀관리성에 대한 인식의 흠결로 인정할 수는 없다.[231]

참고로, 개정 전 부정경쟁방지법에 따른 비밀관리성의 요건을 살펴보면 '상당한 노력에 의하여 비밀로 유지되는 것'은 그 정보가 비밀이라고 인식될 수 있는 표시를 하거나 고지를 하고, 그 정보에 접근할 수 있는 대상자나 접근 방법을 제한하거나 그 정보에 접근한 자에게 비밀준수의무를 부과하는 등 객관적으로 그 정보가 비밀로 유지·관리되고 있다는 사실이 인식 가능한 상태인 것을 말한다.[232] '합리적인 노력에 의하여 비밀로 유지되는 것'이라는 요건의 경우 단기간 내에 법 개정으로 '합리적인 노력' 부분이 삭제되었기 때문에 관련 판례가 많지는 않지만, 항소심 판결 중 그 의미를 구체적으로 밝힌 판결이 존재한다.

구체적으로 살펴보면, 의정부고등법원은 비밀로 유지하기 위한 '합리적인 노력'을 기울였는지 여부는 해당 정보에 대한 접근을 제한하는 등의 조치를 통해 객관적으로 정보가 비밀로 유지·관리되고 있다

---

231) 서울동부지방법원 2019. 3. 13. 선고 2018고단2485 판결
　　　서울동부지방법원 2019. 7. 17. 선고 2019고단729 판결
232) 대법원 2011. 8. 25. 선고 2011도139 판결

는 사실이 인식 가능한 상태가 유지되고 있는지 여부(=접근 제한+객관적 인식가능성)를 해당 정보에 대한 ① 물리적·기술적 관리, ② 인적·법적 관리, ③ 조직적 관리가 이루어졌는지 여부에 따라 판단하되, 각 조치가 합리적이었는지 여부는 영업비밀 보유 기업의 규모, 해당 정보의 성질과 가치, 해당 정보에 일상적인 접근을 허용하여야 할 영업상의 필요성이 존재하는지 여부, 영업비밀 보유자와 침해자 사이의 신뢰관계의 정도, 과거에 영업비밀을 침해당한 전력이 있는지 여부 등을 종합적으로 고려하여야 한다고 판단하였다.[233]

개정 후 부정경쟁방지법의 경우에는 영업비밀에 관한 정의규정(부정경쟁방지법 제2조 제2호)에서 위와 같은 '상당한 노력'이나 '합리적인 노력'을 요구하고 있지 않고, 그 개정 취지가 영업비밀을 보다 폭넓게 인정하기 위한 것이므로, 앞으로는 과거 판례들에서 제시되었던 기준보다 완화된 기준을 적용하여 비밀관리성 충족 여부를 판단하게 될 것으로 보인다.

라. 불법적인 영업활동에 따른 정보 등

부정경쟁방지법이 영업비밀로서 보호하고자 하는 정보는 기본적으로 영업활동에 유용한 정보를 의미하는 것이고, 여기에서 영업활동이라는 것은 정당한 영업활동을 의미할 뿐 불법적인 영업활동까지 포함하는 것은 아니다. 그러므로 탈세 정보, 법적으로 허용되지 않는 유해

---

[233] 의정부지방법원 2016. 9. 27. 선고 2016노1670 판결
같은 취지의 판결로 서울동부지방법원 2019. 3. 13. 선고 2018고단2485 판결도 있다.

물질의 사용에 관한 정보, 불법적으로 수집하여 보관하고 있는 개인정보, 입찰담합에 관한 정보, 불법으로 인수한 다른 기업의 영업비밀이나 공공기관의 내부 비밀정보 등이나 그 밖에 범죄와 관련된 정보를 포함한 반사회적 활동에 관한 정보는 그것이 해당 정보의 보유자인 기업에게는 유용한 정보라고 하더라도 부정경쟁방지법이 보호하는 영업비밀이 될 수는 없다.

즉, 당신이 불법적인 해킹을 통해 특정 사이트를 이용하는 고객들의 개인정보를 취득하였는데, 공범인 검은 양이 그 개인정보를 몰래 제3자에게 판매하였다고 하더라도 당신이 영업비밀 침해를 주장할 수는 없다는 말이다. 부정경쟁방지법에서 영업비밀을 보호하는 취지는 사회적으로 유용한 기술상 또는 경영상의 정보를 개발하기 위한 노력을 보상하고 그에 대하여 정당한 대가가 지불될 수 있도록 하기 위함이지, 기업 활동에 관한 모든 비밀을 보호하기 위함이 아니기 때문이다.[234)]

마. 영업비밀과 유사한 다른 법률상 개념들

하도급법은 '기술자료'를 합리적인 노력에 의하여 비밀로 유지된 제조·수리·시공 또는 용역수행 방법에 관한 자료, 그 밖에 영업활동에 유용하고 독립된 경제적 가치를 가지는 것으로서 ① 특허권, 실용신안권, 디자인권, 저작권 등의 지식재산권과 관련된 정보, ② 시공 또는 제품개발 등을 위한 연구자료, 연구개발보고서 등 수급사업자의

---

234) 서울고등법원 2012. 9. 19. 선고 2012나1391 판결

생산·영업활동에 기술적으로 유용하고 독립된 경제적 가치가 있는 정보라고 정의하고 있다(하도급법 제2조 제15항). 하도급법에 따라 원사업자는 수급사업자에게 기술자료를 자신 또는 제3자에게 제공하도록 요구하는 등의 행위가 금지된다(하도급법 제12조의3 제1항).

대·중소기업 상생협력 촉진에 관한 법률235)은 '기술자료'를 물품 등의 제조 방법, 생산 방법, 그 밖에 영업활동에 유용하고 독립된 경제적 가치가 있는 것으로서 ① 특허권, 실용신안권, 디자인권, 저작권 등의 지식재산권과 관련된 정보, ② 제조·생산방법과 판매방법 등 그 밖의 영업활동에 유용한 기술상 또는 경영상의 정보라고 정의하고 있다(상생협력법 제2조 제9호). 이러한 기술자료는 기관에 임치할 수 있고(상생협력법 제24조의2, 3), 위탁기업은 수탁기업에 물품 등의 제조를 위탁할 때 정당한 사유 없이 기술자료 제공을 요구하는 행위 등을 하는 것이 금지된다(상생협력법 제25조 제1항 제12, 13호). 또한 타인의 기술자료를 절취 등의 부정한 방법으로 입수하여 기술자료 임치등록을 한 자는 형사처벌의 대상이 된다(상생협력법 제41조 제1항).

---

235) 이하 '상생협력법'이라고 한다.

3

'영업비밀 침해'는
어떠한 경우에 성립하는가?

부정경쟁방지법 제2조 제3호는 영업비밀 침해행위를 (가)목 내지 (바)목의 6가지로 유형화하고 있다.

그 내용을 <표>로 정리하면 다음과 같다.

구분	대상정보	금지되는 행위 요건
(가)목	영업비밀	영업비밀 보유자 → 침해행위자 → 제3자 - 영업비밀의 부정취득행위 - 부정취득한 영업비밀의 사용·공개
(나)목	부정취득된 영업비밀	영업비밀 보유자 → 부정취득자 → 침해행위자 → 제3자 - 영업비밀의 부정취득 사실(또는 그 개입)을 알거나 중대한 과실로 알지 못하고 해당 영업비밀을 취득하거나 그 영업비밀을 사용·공개
(다)목	부정취득된 영업비밀	영업비밀 보유자 → 부정취득자 → 침해행위자 → 제3자 - 영업비밀을 이미 취득한 이후에 해당 영업비밀의 부정취득 사실(또는 그 개입)을 알거나 중대한 과실로 알지 못하고 해당 영업비밀을 사용·공개
(라)목	영업비밀	영업비밀 보유자 → 비밀유지의무자 → 제3자 - 계약 등에 따른 비밀유지의무자가 부정한 이익을 추구하거나 영업비밀 보유자에게 손해를 입힐 목적으로 영업비밀을 사용·공개

구분	대상정보	금지되는 행위 요건
(마)목	위 (라)목에 따라 공개된 영업비밀	영업비밀 보유자 → 비밀유지의무자 → 침해행위자 → 제3자 – 영업비밀이 위 (라)목에 따라 공개된 사실(또는 그 개입)을 알거나 중대한 과실로 알지 못하고 해당 영업비밀을 취득하거나 그 영업비밀을 사용·공개
(바)목	위 (라)목에 따라 공개된 영업비밀	영업비밀 보유자 → 비밀유지의무자 → 침해행위자 → 제3자 – 영업비밀을 이미 취득한 이후에 해당 영업비밀이 위 (라)목에 따라 공개된 사실(또는 그 개입)을 알거나 중대한 과실로 알지 못하고 해당 영업비밀을 사용·공개

위 영업비밀 침해행위의 각 유형별로 그 요건, 내용 등을 아래에서 구체적으로 살펴보기로 한다.

가. 영업비밀의 부정취득·사용·공개행위(가목)

> 가. 절취(竊取), 기망(欺罔), 협박, 그 밖의 부정한 수단으로 영업비밀을 취득하는 행위 또는 그 취득한 영업비밀을 사용하거나 공개(비밀을 유지하면서 특정인에게 알리는 것을 포함한다)하는 행위

위 (가)목의 영업비밀 침해행위는 부정한 수단으로 영업비밀을 취득하였을 경우에 문제된다. 여기서 '부정한 수단'이란 절취(몰래 훔치는 것)·기망(거짓말로 속이는 것)·협박(신체·재산 등에 해를 가하겠다고 공포심을 일으키는 것) 등 형법상의 범죄를 구성하는 행위뿐만 아니라 비밀유지의무의 위반 또는 그 위반의 유인 등 건전한 거래질서의 유지 내지

공정한 경쟁의 이념에 비추어 위에 열거된 범죄행위에 준하는 선량한 풍속 기타 사회질서에 반하는 일체의 행위나 수단을 의미한다.[236]

예를 들어, 검은 양이 ㈜순진무구의 사무실에 침입하여 핵심 기술 정보가 담긴 하드디스크를 무단으로 반출하는 행위(절취), 검은 양이 마치 국세청 직원인 것처럼 행세하면서 세무조사를 가장하여 ㈜순진무구의 직원으로부터 위 하드디스크를 제출받는 행위(기망), 검은 양이 ㈜순진무구의 대표이사에게 사무실에 불을 지르겠다고 말하면서 위 하드디스크를 건네받는 행위(협박), 검은 양이 비밀유지의무를 부담하는 ㈜순진무구의 연구실장에게 고액의 급여와 높은 직급을 약속하면서 스카우트하여 위 연구실장으로 하여금 영업비밀을 가지고 나오게 만드는 행위 등이 모두 부정한 수단으로 영업비밀을 취득하는 행위(그 밖의 부정한 수단)에 해당하는 것이다.

위 (가)목에서 영업비밀을 '취득'한다는 것은 사회에서 통용되는 일반적인 상식에 비추어 영업비밀을 자신의 것으로 만들어 이를 사용할 수 있는 상태에 이른 것을 말한다.[237] 여기에는 영업비밀 그 자체이거나 영업비밀이 담겨있는 문서, 도면, 시제품 등을 취득하는 것은 물론 전자문서나 컴퓨터 프로그램을 통해 생성된 파일 등을 저장매체에 복사하는 행위 등이 포함되고, 영업비밀을 열람하여 이를 머릿속에 기억해 두는 것 역시 위 '취득'에 포함된다고 보아야 한다.[238]

---

236) 서울중앙지방법원 2011. 9. 2. 선고 2010가합81341 판결
237) 대법원 2008. 4. 10. 선고 2008도679 판결
238) 최정열·이규호, 앞의 책, 312쪽

○ 법원은 영업비밀의 '취득'은 문서, 도면, 사진, 녹음테이프, 필름, 전산정보처리조직에 의하여 처리할 수 있는 형태로 작성된 파일 등 유체물의 점유를 취득하는 형태로 이루어질 수도 있고, 유체물의 점유를 취득함이 없이 영업비밀 자체를 직접 인식하고 기억하는 형태로 이루어질 수도 있으며, 또한 영업비밀을 알고 있는 사람을 고용하는 형태로 이루어질 수도 있는바, 어느 경우에나 사회통념상 영업비밀을 자신의 것으로 만들어 이를 사용할 수 있는 상태가 되었다면 영업비밀을 취득하였다고 보아야 하므로, 회사가 다른 업체의 영업비밀에 해당하는 기술정보를 습득한 자를 스카우트하였다면 특별한 사정이 없는 한 그 회사는 그 영업비밀을 취득하였다고 보아야 한다고 판단한 바 있다.[239]

○ 다만, 법원은 회사 직원이 업무상 보유하고 있던 제품의 조립도, 상세도면 및 각 치수 등의 영업비밀을 회사에서 사용하던 이메일 계정에서 개인적으로 사용하던 이메일 계정으로 송부한 사안에서, 회사의 직원으로서 영업비밀을 인지하여 이를 사용할 수 있는 지위에 있는 자는 이미 해당 영업비밀을 취득하였다고 보아야 하므로 그러한 자가 해당 영업비밀을 단순히 회사의 외부로 무단 반출한 행위는 영업비밀의 취득에 해당하지 않는다고 판단하였다.[240]

---

[239] 대법원 1998. 6. 9. 선고 98다1928 판결
수원지방법원 2016. 3. 28.자 2016카합10026 결정 등
[240] 대법원 2008. 4. 10. 선고 2008도679 판결
다만, 형법상 업무상 배임죄가 성립할 수는 있을 것이다.

영업비밀을 '사용'한다는 것은 그 영업비밀의 본래 사용 목적에 따라 상품의 생산·판매 등의 영업활동에 이용하거나 연구·개발사업 등에 활용하는 등으로 기업활동에 직접 또는 간접적으로 사용하는 행위로서 구체적으로 특정이 가능한 행위를 말한다.[241] 영업비밀인 기술을 단순 모방하여 제품을 생산하는 경우뿐만 아니라, 다른 사람의 영업비밀을 참조하여 시행착오를 줄이거나 필요한 실험을 생략하는 경우 등과 같이 제품 개발에 소요되는 시간과 비용을 절약하는 경우 또한 영업비밀의 사용에 해당한다.[242] 개량행위에 의하여 작성된 정보의 사용행위는 원래의 영업비밀의 사용행위에 해당하지 않으나, 그 정보가 원래의 영업비밀에 의하여 작성되어 있고 실질적으로 원래의 영업비밀을 사용하는 것으로 인정되는 경우에는 원래의 영업비밀을 사용하는 행위에 해당할 수 있다.[243]

마지막으로, 어떤 행위가 영업비밀을 '공개'하는 행위인지를 살펴보면, 일반적으로 어떤 정보를 '공개'한다는 것은 불특정 다수가 그 내용을 알 수 있도록 만드는 것을 말하지만 위 (가)목의 침해행위의 한 방식인 '공개'는 위 조문 내용에도 명시되어 있는 것처럼 비밀을 유지하면서 특정인만 그 내용을 알 수 있게 하는 경우(예컨대, 경쟁업체의 연구담당자에게만 알게 하는 경우 등)까지도 포함한다.

---

241) 대법원 1998. 6. 9. 선고 98다1928 판결
     대법원 2009. 10. 15. 선고 2008도9433 판결 등
242) 대법원 2019. 9. 10. 선고 2016도1241 판결
243) 수원지방법원 2016. 1. 19. 선고 2012가합23005 판결

나. 부정취득된 영업비밀의 악의·중과실에 의한 취득·사용·공개행위(나목)

> 나. 영업비밀에 대하여 부정취득행위가 개입된 사실을 알거나 중대한
> 과실로 알지 못하고 그 영업비밀을 취득하는 행위 또는 그 취득한
> 영업비밀을 사용하거나 공개하는 행위

영업비밀을 부정취득한 자는 그 스스로 해당 영업비밀을 사용·공개할 수도 있지만, 이를 제3자에게 취득시킴으로써 자신은 이익을 얻고 영업비밀 보유자에게 손해를 입힐 수도 있다(예를 들어, 부정취득한 영업비밀을 높은 금액에 영업비밀 보유자의 경쟁업체에게 판매하는 경우 등). 그런데 영업비밀을 효과적으로 보호하기 위해서는 위와 같은 부정취득된 영업비밀을 취득하는 제3자에 대해서도 일정한 규제를 가할 필요가 있다. 그러나 등기사항전부증명서 등의 공시제도가 존재하지 않는 영업비밀에 관하여 사후적으로 영업비밀이 부정취득된 것이 밝혀졌다는 사실만으로 이를 취득한 제3자를 모두 제재한다면 정보의 거래 자체가 불가능하게 될 것이다.

이러한 점들을 종합적으로 고려하여, 위 (나)목은 부정취득행위가 개입된 영업비밀을 그 부정취득행위의 개입을 알거나(=악의) 중대한 과실로 알지 못하고 그 영업비밀을 취득하는 행위와 그 취득한 영업비밀을 사용·공개하는 행위를 영업비밀 침해행위로 규정하고 있다. 비록 행위자가 직접 부정취득행위를 통해 영업비밀을 취득하지는 않았지만 이를 알거나 중대한 과실로 알지 못한 경우에는 그에 대한 귀책사유를 인정하여 영업비밀 침해행위자로 보고 있는 것이다.

위 (나)목의 영업비밀 침해행위는 행위자가 영업비밀을 부정취득한 자로부터 직접 해당 영업비밀을 취득하는 경우뿐만 아니라 영업비밀을 부정취득한 자가 제3자에게 해당 영업비밀을 전달하고 그 제3자로부터 행위자가 해당 영업비밀을 취득하는 경우(즉, 행위자가 전득자인 경우)에도 성립한다.

이는 영업비밀을 부정취득한 자와 행위자 사이에 더 많은 사람이 개입되어 있다고 하더라도, 또한 중간에 개입된 사람 중 누군가는 해당 영업비밀에 대하여 부정취득행위가 개입된 사실을 몰랐다고 하더라도 그 결론이 달라지지 않는다.

부정취득행위의 개입을 중대한 과실로 알지 못하였다는 것은 해당 거래 등을 행하는 평균적인 사람이 약간의 주의를 기울이기만 하였다면 부정취득행위가 개입된 영업비밀임을 손쉽게 알 수 있었음에도 불구하고, 그러한 주의를 현저하게 게을리하여 부정취득행위의 개입 사실을 알지 못하였다는 것을 의미한다.

예를 들어, 검은 양이 화장품 제조회사를 운영하고 있는데 경쟁업체 사무실의 경비원이 찾아와 고액의 보수를 요구하면서 검은 양이 해당 경쟁업체에서 비밀로 관리하고 있는 것을 알고 있는 기술정보가 담긴 이동식 저장장치(USB)를 건네는 경우를 생각해보자.

위 경우에는 검은 양의 중대한 과실이 인정될 것이다. 검은 양이 조금만 합리적인 주의를 기울였다면 사무실 경비원이 위 영업비밀을 정상적인 방법으로 취득하였을 리는 없고, 그 취득에 부정취득행위가 개입되었음을 충분히 알 수 있었을 것이기 때문이다.

다. 선의취득한 영업비밀의 악의·중과실에 의한 사용·공개행위(다목)

> 다. 영업비밀을 취득한 후에 그 영업비밀에 대하여 부정취득행위가 개입된 사실을 알거나 중대한 과실로 알지 못하고 그 영업비밀을 사용하거나 공개하는 행위

위 (다)목의 영업비밀 침해행위는 행위자가 부정취득된 영업비밀을 그 사정을 모르고(=즉, 선의로) 취득하였으나, 사후적으로 부정취득행위의 개입을 알게 되거나 약간의 주의를 기울이는 것만으로도 부정취득행위의 개입을 알 수 있었을 때에 문제된다.

해당 영업비밀에 관하여 부정취득행위가 개입되었음을 영업비밀 보유자의 통지 등을 통해 알게된 경우, 해당 영업비밀의 부정취득이 언론이나 인터넷 등을 통해 알려진 경우, 해당 영업비밀을 전달한 사람이 영업비밀 침해행위로 인하여 소송을 당하거나 조사를 받게 된 사실을 알게 된 경우 등을 생각해 볼 수 있다.

영업비밀을 부정취득한 자로부터 직접 영업비밀을 취득하지 않은 경우에도 성립할 수 있다는 점이나 중대한 과실의 의미 등은 앞에서 위 (나)목의 영업비밀 침해행위와 관련된 부분에서 설명한 내용과 같다.

라. 영업비밀의 부정한 공개·사용행위(라목)

> 라. 계약관계 등에 따라 영업비밀을 비밀로서 유지하여야 할 의무가
> 있는 자가 부정한 이익을 얻거나 그 영업비밀의 보유자에게 손해
> 를 입힐 목적으로 그 영업비밀을 사용하거나 공개하는 행위

위 (라)목의 영업비밀 침해행위는 계약관계 등에 따라 영업비밀을
비밀로 유지해야 할 의무가 있는 자(=비밀유지의무자)가 영업비밀을 사
용·공개하였을 때 성립한다. 그리고 위 비밀유지의무는 계약관계가
존속 중인 경우에는 물론이고 계약이 종료된 후에도 인정될 수 있다.
또한 명시적으로 계약에 의하여 비밀유지의무를 부담하기로 약정한
경우뿐만 아니라, 인적 신뢰관계의 특성 등에 비추어 신의성실의 원
칙상 또는 묵시적으로 그러한 의무를 부담하기로 약정하였다고 보아
야 하는 경우에도 비밀유지의무자로 인정될 수 있다.[244]

○ 법원은 필기구 제조업체의 연구실장으로서 영업비밀에 해당하는
기술정보를 습득한 자가 계약관계 및 신의성실의 원칙상 퇴사 후
에도 상당 기간 동안 비밀유지의무를 부담함에도 불구하고 다른
회사로부터 고액의 급여와 상위의 직위를 받는 등의 이익을 취하
는 한편, 다른 회사로 하여금 잉크를 제조함에 있어서 그 기술정
보를 이용하여 시간적·경제적인 면에서 이익을 얻게 하기 위하여
다른 회사로 전직하여 다른 회사에서 그 기술정보를 공개하고 이

---

[244] 대법원 1996. 12. 23. 선고 96다16605 판결

를 사용하여 잉크를 생산하거나 생산하려고 한 경우, 그러한 행위는 공정한 경쟁의 이념에 비추어 선량한 풍속 기타 사회질서에 반하는 부정한 이익을 얻을 목적에서 행하여진 것으로서 위 (라)목의 영업비밀 침해행위에 해당한다고 판단하였다.[245]

위 (라)목의 영업비밀 침해행위가 성립하기 위해서는 행위자에게 부정한 이익을 얻거나 영업비밀 보유자에게 손해를 입힐 목적이 존재하여야 한다.

'부정한 이익'은 행위자가 비밀유지의무를 위반함으로써 얻게 되는 재산상·경영상의 이익을 말하고, 행위자가 스스로 이익을 얻는 경우뿐만 아니라 제3자에게 그 이익이 귀속되는 경우에도 부정한 이익을 얻을 목적은 인정될 수 있다. 반대로 '영업비밀 보유자의 손해'는 행위자의 비밀유지의무 위반으로 인하여 영업비밀 보유자에게 발생하게 되는 재산상·경영상의 손해를 말한다.

위 (라)목은 그 '결과'가 아닌 '목적'을 요건으로 삼고 있는 것이므로, 행위자가 실제로는 이익을 얻지 못하거나 영업비밀 보유자에게 실제 손해가 발생하지 않은 경우에도 위와 같은 부당한 목적이 존재하였다면 여전히 위 (라)목의 영업비밀 침해행위는 성립할 수 있다.

---

245) 대법원 1996. 12. 23. 선고 96다16605 판결

마. 부정하게 공개된 영업비밀의 악의·중과실에 의한 취득·사용·공개행위(마목)

> 마. 영업비밀이 라목에 따라 공개된 사실 또는 그러한 공개행위가 개입된 사실을 알거나 중대한 과실로 알지 못하고 그 영업비밀을 취득하는 행위 또는 그 취득한 영업비밀을 사용하거나 공개하는 행위

위 (마)목의 영업비밀 침해행위는 행위자가 직접 위 (라)목의 부정공개행위에 개입한 것은 아니지만, 부정공개를 한 자로부터 또는 그로부터 영업비밀을 취득한 제3자로부터 부정공개행위가 개입한 사실을 알면서 또는 이를 중대한 과실로 알지 못하고 해당 영업비밀을 취득하거나 그 취득한 영업비밀을 사용·공개할 때에 성립한다.

위 (마)목의 다른 요건들은 앞에서 (나)목의 영업비밀 침해행위에 관한 부분에서 설명한 내용과 동일하므로 해당 부분을 참고하기로 하고 다시 설명하지는 않는다.

바. 선의취득한 부정공개 영업비밀의 악의·중과실에 의한 사용·공개행위(바목)

> 바. 영업비밀을 취득한 후에 그 영업비밀이 라목에 따라 공개된 사실 또는 그러한 공개행위가 개입된 사실을 알거나 중대한 과실로 알지 못하고 그 영업비밀을 사용하거나 공개하는 행위

위 (바)목의 영업비밀 침해행위는 행위자가 부정공개된 영업비밀을 그 사정을 모르고 취득하였으나, 사후적으로 부정공개행위의 개입을 알게 되거나 약간의 주의를 기울이는 것만으로도 부정공개행위의 개입을

알 수 있었음에도 해당 영업비밀을 사용·공개하였을 때 성립한다.

위 (바)목의 다른 요건들 역시 앞에서 (다)목의 영업비밀 침해행위에 관한 부분에서 설명한 내용과 동일하므로 다시 반복하지는 않는다.

4

'영업비밀'을 보호하기 위한
각종 방법

가. 영업비밀 관리·보호의 일반론

영업비밀 침해행위가 발생하였을 때 영업비밀 보유자가 선택할 수 있는 대응방안에 대해서는 뒤에서 다시 살펴볼 것이다. 하지만 영업비밀 보유자로서는 위와 같은 사후적 대응이 아니라 영업비밀 침해가 발생하지 않도록 사전적으로 영업비밀을 관리·보호하기 위한 노력을 다할 필요가 있다.

그리고 영업비밀 보유자의 그와 같은 노력은 영업비밀 침해행위가 실제로 발생하였을 때에도 영업비밀 요건의 증명 등에 유리하게 활용될 수 있다.

이하에서는 실무적으로 회사 등에서 어떻게 영업비밀을 관리·보호할 수 있는지를 살펴본다.

우선, 회사로서는 어떤 정보를 영업비밀로 할 것인지를 확인하여야 한다. 회사는 방대한 양의 정보를 보유하고 있는 것이 보통이므로 그중 비밀로 관리·보호할 정보를 명확히 구분하지 않으면 효과적인 영업비밀 보호가 불가능하기 때문이다.

영업비밀을 확인하기 위해서는 일단 회사의 각종 요소를 전반적으로 검토해 보아야 한다. 영업비밀은 회사에 있어서 중요하고 가치 있는 정보이어야 하므로 위와 같은 영업비밀의 확인 과정에서는 회사의 핵심 제품·서비스의 내용, 회사의 매출과 영업이익에 기여하는 항목, 회사가 다른 회사보다 경쟁력을 갖는 부분 등이 무엇인지를 확인하여야 하고, 그에 따라 회사에서 영업비밀로 보호할 필요가 있는 영역(상위 카테고리)을 특정하여야 한다.

해당 영역(상위 카테고리)과 관련하여 회사가 다루고 있는 정보의 구체적인 내역, 관련 업무 프로세스, 관련 부서 및 담당자 등을 확인하는 것 역시 필요하다.

다음으로, 회사는 위와 같은 과정에서 확인된 정보 중 어떤 특정 정보를 영업비밀로 관리·보호할 것인지를 결정하여야 한다.

이 과정에서는 ① 해당 정보가 일반적으로 쉽게 구할 수 있는 정보인지, ② 회사가 해당 정보의 취득 등을 위해 얼마나 많은 시간과 비용을 투입하였는지, ③ 해당 정보의 객관적인 가치가 어떠한지, ④ 해당 정보가 외부에 공개되었을 때 회사에 어떠한 영향이 발생할 수 있는지, ⑤ 해당 정보를 영업비밀로 관리·보호하는 것이 용이한지 등을 판단요소로 고려할 수 있다.

일반적으로 기업 등에서 영업비밀로 취급되는 정보들을 살펴보면 다음과 같다.

영업비밀의 대표적인 예시

– 제품 설계도면, 사양·규격서, 회로도
– 실험·분석 등의 데이터, 연구보고서

영업비밀의 대표적인 예시

- 프로그램 소스코드, 알고리즘, 시스템 설계서, 시스템 구성도, 운영 매뉴얼
- 계정 정보, 아이디 및 패스워드
- 회사 조직도, 급여 정보, 인사고과표
- 시제품
- 설비 배치도, 공정 매뉴얼, 장비 조립도 또는 공장의 조감도
- 원료 등의 배합비율, 제조지시서
- 원가 계산서, 거래처 리스트(거래처별 계약정보)
- 마케팅 기획서, 설문조사 또는 통계자료, 시장분석 자료, 고객명단
- 판매수수료, 견적서
- 경영계획, 연구개발 계획서, 개발 스케줄표

영업비밀이 파악된 후에는 효율적인 관리·보호를 위해서 관리대장(리스트 등)을 만들어 해당 영업비밀을 관리할 필요가 있다. 위 관리대장에는 영업비밀의 명칭을 비롯하여 영업비밀의 관리책임자, 보관장소, 보관방법, 접근권한이 세분화되어 있는 경우에는 요구되는 권한 수준, 행위제한의 내용(복제 금지, 외부 반출 금지, 특정 장소에서만 열람 가능 등), 등록일 및 보존기간 등이 기재되는 것이 일반적이다.

영업비밀을 높은 수준으로 관리·보호하기 위해서는 이외에도 회사 차원에서 영업비밀 관리·보호에 관한 기본방침과 실시계획을 수립한 후, 회사 내에서 다음과 같은 구체적인 조치를 취할 수 있도록 할 필요가 있다.

영업비밀 관리·보호를 위해 필요한 각종 조치

〈회사 내부제도 마련〉
- 영업비밀 관련 기본방침 제정·운영
- 영업비밀 관리부서 운영, 영업비밀 관리책임자 지정(구체적인 업무범위 규정)

영업비밀 관리·보호를 위해 필요한 각종 조치

- 영업비밀의 등급별 분류, 분류기준 제정·운영
- 영업비밀의 등급별 접근권한 명시, 접근통제를 위한 가이드라인 마련
- 영업비밀의 보관, 사용, 폐기 등에 관한 취급규정 제정·운영
- 영업비밀 관련 규정 및 운영실태 등에 대한 주기적인 검토 및 개선

〈정보에 대한 관리·통제〉
- 영업비밀의 지정 및 관리대장 작성
- 영업비밀에 대한 비밀표시('대외비', 'Confidential' 등, 전자파일의 경우 암호설정 등)
- 영업비밀 사용자에 대한 사용내역 관리(관리대장 기재 또는 전자적 방식)
- 회사 PC 등에 대한 개인별 ID/PW 부여
- 업무상 복제 등이 이루어진 영업비밀에 대한 지속적인 추적 및 사용 후 폐기 등

〈사람에 대한 관리·통제〉
- 임직원과의 비밀유지계약서 체결
- 협력업체와의 비밀유지계약서 체결
- 정기적인 영업비밀 관련 교육(회사 관련 규정에 대한 교육 포함) 실시
- 퇴직자와의 비밀유지계약서, 경업금지계약서 등 체결

〈공간에 대한 관리·통제〉
- 회사 출입자에 대한 관리·통제(지문인식, ID카드, 반입·반출 장비 등의 제한)
- 외부인 방문 시 인적사항 등 확인
- 영업비밀의 별도 보관
- 영업비밀 보관장소에 대한 물리적 접근 통제(시건장치, 지문인식, ID카드, CCTV 등 보안장치 설치)
- 영업비밀의 보관장소, 사용장소 제한(회사 외부 반출 금지 등)
- 경비업체에 대한 의뢰 등

〈회사 내 인프라 등에 대한 관리·통제〉
- 회사 내부통신망의 분리 및 접근 제한

영업비밀 관리·보호를 위해 필요한 각종 조치

- 회사 PC 등에 승인된 프로그램 외의 프로그램 설치 금지
- 회사 자원(PC 등)의 외부 반출 금지 또는 외부 반출이 가능한 자원과 구분하여 운영
- 외부와의 정보통신 제한 또는 외부로부터의 불법적 접근(해킹 등)에 대한 대비
- 지속적인 모니터링

나. 사내 보안규정 등

영업비밀은 비밀로 관리되고 있어야 하는데, 법원은 앞서 살펴본 것처럼 비밀관리성을 판단하는 기준 중 하나로 '회사가 사내 보안규정(영업비밀관리규정, 전산관리규정, 기술정보관리규정 등 그 명칭은 다양할 수 있다)을 마련하여 운영하고 있었는지'를 제시하고 있다. 그러므로 회사가 사내 보안규정을 마련하고 보안책임자 등 담당직원을 지정하여 위 보안규정을 운영하여 왔다면 영업비밀을 인정받는 데에 매우 유리할 수 있다.

위 사내 보안규정에는 영업비밀의 관리 및 보호에 관한 제반 사항이 규정되는데 그 핵심적인 내용을 살펴보면 ① 회사에서 보안의 대상이 되는 정보(=영업비밀)의 정의 및 그 범위, ② 영업비밀의 분류와 그 분류기준, ③ 영업비밀의 취급 및 관리에 관한 사항, ④ 회사 보안 관련 업무의 분류 및 그 내용, ⑤ 회사 내 보안 관련 조직의 구성 및 그 업무에 관한 사항, ⑥ 보안책임자의 지정 및 그 업무에 관한 사항, ⑦ 보안서약서의 작성 및 보안교육에 관한 사항, ⑧ 그 밖에

물품의 반입·반출 관리, 컴퓨터 등 전자기기의 사용, 보안점검에 관한 사항 등이 위 사내 보안규정에 포함되는 것이 일반적이다.

물론 회사로서는 위 사내 보안규정을 통해 회사의 기술정보 등을 영업비밀로 인정받기 위해서는 단순히 위와 같은 규정을 제정하는 데에 그치는 것이 아니라, 이를 직원들에게 공지하고 정기적으로 교육을 실시하는 등 위 사내 보안규정을 실질적으로 운영하여야 한다.

다. 비밀유지계약서(NDA, Non-Disclosure Agreement)

개인사업자라면 자신이 기술정보 등을 철저히 관리함으로써 영업비밀의 유출을 막는 것이 가능할지도 모른다. 그러나 회사를 운영하면서 여러 직원들을 고용하거나 거래처와 업무상 불가피하게 기술정보 등을 공유하게 되는 경우와 같이 다른 사람과 함께 사업을 진행하는 대부분의 경우에는 아무리 영업비밀을 기술적으로 철저하게 관리하더라도 '사람'에 의한 영업비밀의 유출을 완전히 막는 것은 불가능하다.

그래서 많은 회사가 소속 직원(또는 퇴사하는 직원)이나 거래처와의 사이에 '비밀유지계약서(비밀유지서약서, 비밀유지약정서, 보안서약서, NDA 등 그 명칭은 다양하다)'를 작성하여 계약상의 의무를 부과하는 방법으로 자신의 영업비밀을 보호하고자 한다. 이러한 비밀유지계약서는 영업비밀 침해행위 등이 문제되었을 때 회사가 계약서상 명시된 기술정보 등을 비밀로 관리하여 왔다는 것을 입증하는 데에 도움이 되고, 영업비밀 침해행위가 있었을 때 계약의 상대방인 침해행위자의 고의 등을 입증하는 데에도 도움이 된다.

그렇다면, 비밀유지계약에는 어떤 내용이 포함되어야 할까? 우선

해당 계약을 통해 보호되는 '비밀'이 무엇인지가 구체적으로 정의되어야 한다. 이는 '제품의 제조법 등 기술상의 정보', '인사, 재무, 전산 관리 등 경영상 정보', '연구, 개발 및 교육훈련 등 연구개발에 관한 사항' 등 특정 항목에 관한 일체의 정보로 정의되기도 하지만, 핵심적인 기술정보 등의 경우에는 구체적으로 프로젝트명, 제품명, 기술명 등을 통해 특정되기도 한다.[246] 계약상 보호되는 영업비밀의 종류에 '그 밖에 해당 사업과 관련하여 업무를 진행하는 과정에서 계약상 대방에게 서면, 구두, 전자적 방법에 의하여 전송 또는 기타의 방법으로 제공된 모든 노하우, 기술, 공정, 도면, 설계, 디자인, 코드, 실험결과, 시제품, 스펙, 공식, 데이터, 프로그램, 명세서, 가격·단가, 아이디어, 기술정보, 사업정보 등 일체의 유·무형의 정보'와 같은 보충적 일반조항이 포함되기도 한다.

비밀유지계약의 핵심적인 목적이 '비밀유지'인 만큼 해당 계약에는 영업비밀을 지정된 업무에만 사용하여야 하고, 어떠한 방법으로든 제3자(여기에는 회사 내부의 제3자도 포함된다)에게 공개하거나 누설해서는 안 된다는 내용이 포함된다. 또한 비밀유지계약에는 위와 같은 비밀유지를 실현하기 위한 절차적 방법으로서 ① 회사의 보안규정을 준수하여 허가받지 않은 정보나 시설, 서버 등에 접근하지 않고, 허가받지 않은 장비, 정보저장매체 등을 회사 내로 반입하지 않을 의무, ② 영업비밀을 허가받아 사용하는 동안 이를 무단변조, 복사, 훼손, 분실

---

[246] 업무 전반을 망라하는 추상적인 내용이 비밀사항으로 기재되어 있는 것보다는 해당 기술정보가 명시적으로 비밀사항으로 기재된 경우에 영업비밀성이 인정될 가능성이 더 높을 것이다(서울고등법원 2018. 10. 11.자 2018라20665 결정).

등으로부터 안전하게 관리할 의무, ③ 영업비밀을 복사, 녹음, 촬영 및 다른 방법으로 복제하거나 휴대폰, 메신저 등 정보통신의 방법으로 전송하지 않을 의무, ④ 영업비밀의 사용 종료 시에 관리하는 설계도, 명세서, 메모, 전자파일 등 영업비밀과 관련된 사항이 포함된 일체의 자료를 영업비밀 보유자에게 반환하고 그 사본 등을 보관하거나 제3자에게 전달하지 않을 의무 등을 계약상대방에게 부과하는 내용이 포함되는 것이 일반적이다.

이외에도 비밀유지계약에는 지식재산권의 귀속에 관한 사항, 겸직 또는 경업금지에 관한 사항, 전직 또는 창업 시의 회사명 및 업무내용 통지의무, 의무위반 시의 책임, 분쟁의 해결방법 등에 관한 규정이 포함되기도 한다.

참고로, 비밀유지계약서 등의 서식은 특허청이 운영하고 있는 영업비밀보호센터 홈페이지(www.tradesecret.or.kr)[247]에서 계약의 상대방(입사자·퇴사자·협력업체 등)별로 다운로드 받을 수 있다. 다만, 위와 같은 표준서식은 문제되는 개별적인 영업비밀의 형태나 프로젝트의 구조 등에 따라 필요한 조항을 모두 포함하고 있는 것은 아니므로, 규모가 큰 사업이나 구조가 복잡한 프로젝트 등의 경우에는 전문가의 도움을 받아 개별적으로 비밀유지계약서를 작성하는 것이 바람직하다.

---

[247] "표준서식", 특허청 영업비밀보호센터 홈페이지, 2021년 3월 13일 접속
https://www.tradesecret.or.kr/bbs/standard.do

라. 영업비밀원본증명제도

영업비밀로 인정되기 위해서는 비공지성, 경제적 유용성, 비밀관리성의 요건을 갖추어야 한다. 그런데 영업비밀의 성립요건을 아는 것과 이를 실제로 증명하는 것은 전혀 별개의 문제이다. 현실에서 누가, 언제부터, 어떤 정보를 영업비밀로서 보유하고 있었는지를 객관적으로 입증하는 것은 결코 쉬운 일이 아니기 때문이다. 그리하여 부정경쟁방지법은 영업비밀의 보유 여부와 그 보유 시점을 손쉽게 입증할 수 있도록 하기 위하여 '영업비밀원본증명제도'를 마련하고 있다.

이를 구체적으로 살펴보면, 영업비밀 보유자는 영업비밀이 포함된 전자문서의 원본(original) 여부를 증명받기 위하여 영업비밀 원본증명기관(한국지식재산보호원)에 그 전자문서로부터 추출된 고유의 식별값(전자지문, SHA-256bit Hash값)을 등록할 수 있다(부정경쟁방지법 제9조의2 제1항). 위 전자문서에는 한글이나 MS워드 등의 사무용 문서뿐만 아니라 사진이나 동영상 등 다양한 형태의 전자파일이 포함된다.[248] 그리고 영업비밀 원본증명기관은 위와 같이 등록된 전자지문과 영업비밀 보유자가 보관하고 있는 전자문서로부터 추출한 전자지문이 같은 경우에는 그 전자문서가 전자지문으로 등록된 원본임을 증명하는 원본증명서를 발급할 수 있다(부정경쟁방지법 제9조의2 제2항). 위 원본증명서를 발급받은 자는 해당 전자지문 등록 당시에 해당 전자문서에 기재된 내용대로 정보를 보유한 것으로 추정된다(부정경쟁방지법 제9조의2 제3항).

---

[248] "원본증명서비스", 특허청 영업비밀보호센터 홈페이지, 2021년 2월 13일 접속
https://www.tradesecret.or.kr/kipi/web/serviceIntro.do

영업비밀 보유자로서는 위와 같은 영업비밀원본증명을 통해 나중에 동일한 영업비밀을 보유하고 있는지, 언제부터 해당 영업비밀을 보유하였는지 등이 문제되었을 때 손쉽게 해당 사실들의 추정을 받을 수 있다.

마. 보론 : 특허권과의 관계

영업비밀이 되는 기술정보 등에 대해서는 특허출원을 통해 특허권으로 보호받는 것도 가능하다. 그런데 특허권은 공개를 원칙으로 하여 장래에 출원공개가 예정되어 있기 때문에(특허법 제64조) 영업비밀과 같이 비공개를 유지하는 것이 불가능하다. 또한 영업비밀의 경우에는 비밀로 유지되는 한 계속 영업비밀로서 존재할 수 있지만, 특허권의 경우에는 특허권을 설정등록한 날로부터 특허출원일 후 20년이 되는 날까지라는 존속기간이 존재하기 때문에(특허법 제88조 제1항) 위 존속기간의 경과에 따라 더 이상 보호받을 수 없게 된다.

대신 특허권은 독점·배타적 권리로서 특허권자는 업으로서 특허발명을 실시할 권리를 독점할 수 있다는 등의 이점을 누릴 수 있다(특허법 제94조 제1항). 즉, ㈜발명왕이 같은 회사의 특정기술에 관하여 특허권을 설정등록하였다면 다른 회사에서 동일한 기술을 정당하게 취득하거나 개발하여 사용하였을 때에도 이에 대하여 금지청구 등이 가능하다. 반면, 영업비밀로만 보호되는 특정기술의 경우에는 다른 회사에서 동일한 기술을 정당하게 취득하거나 개발하여 사용하였을 때 이에 대하여 금지청구 등을 통해 보호받기 어렵다.

위와 같은 이유에서 다른 회사가 단기간 내에 동일하게 개발해 낼

가능성이 높은 기술이라면 해당 기술을 특허권 취득을 통해 보호하는 것이 회사에게 더욱 유리할 수도 있다.

이외에 영업비밀은 경영상의 정보 등도 대상으로 하므로 특허권보다 그 대상이 되는 정보의 범위가 넓고, 특허권처럼 출원심사 등 그 권리를 인정받기 위해서 별도의 심사절차를 거치지 않아도 되며, 청구항의 기재에 의하여 보호대상이 명확하게 특정되는 특허권과는 달리 보호대상이 명확하지 않다는 등의 차이도 있다.

IV

부정경쟁행위에
대응하는 방법

1

침해금지 및 침해예방청구

가. 청구권자

검은 양이 상품주체 혼동행위 등의 부정경쟁행위를 하고 있을 경우 정당한 권리자의 피해는 지속적으로 발생하게 되고, 사후적으로 이루어지는 손해배상청구(금전적 배상)만으로는 권리자의 위와 같은 피해를 완전히 회복시킬 수 없다. 그래서 부정경쟁방지법은 정당한 권리자에게 부정경쟁행위자인 검은 양을 상대로 부정경쟁행위의 금지 또는 예방을 청구할 수 있는 권리를 부여하고 있다. 즉, 검은 양의 부정경쟁행위 등으로 인하여 자신의 영업상의 이익이 침해되거나 침해될 우려가 있는 사람은 법원에 그 행위의 금지 또는 예방을 청구할 수 있다(부정경쟁방지법 제4조 제1항).

위 침해금지 또는 침해예방청구를 할 수 있는 사람, 즉 청구권자는 '부정경쟁행위나 부정경쟁방지법 제3조의2 제1항 또는 제2항을 위반하는 행위로 인하여 자신의 영업상의 이익이 침해되거나 침해될 우려가 있는 자'이다.

여기서 부정경쟁행위는 부정경쟁방지법 제2조 제1호 각 목의 행위(앞서 Ⅱ항에서 살펴본 각 행위)를 말하고, 부정경쟁방지법 제3조의2 제1

항 또는 제2항을 위반하는 행위는 자유무역협정에 따라 보호하는 지리적 표시의 사용금지 등을 위반하는 행위[249]를 말한다.

영업상의 이익은 재산적인 이익(현금, 자산 등) 외에 신용, 명예, 그 밖에 경영상의 이익 등을 폭넓게 포함하는 개념으로 보아야 한다. 영업상의 이익을 가지고 있는지 여부는 부정경쟁행위의 유형에 따라 그 판단기준이 다소 달라질 수는 있으나, 위 규정이 청구권자를 상표권자 등으로 한정하고 있지 않으므로 상품표지 등의 소유자뿐만 아니라 그 사용권자 등 그 표지의 사용에 관하여 고유하고 정당한 이익을 가지고 있는 자도 영업상의 이익을 가진 자에 포함되는 것으로 해석된다.[250] 또한 영업상의 이익은 그에 대한 침해로부터 보호받을 가치가 있는 것이어야 한다. 그래서 영업상의 보호를 위해 침해행위의 금지

---

[249] 부정경쟁방지법 제3조의2(자유무역협정에 따라 보호하는 지리적 표시의 사용금지 등)
  ① 정당한 권원이 없는 자는 대한민국이 외국과 양자간(兩者間) 또는 다자간(多者間)으로 체결하여 발효된 자유무역협정에 따라 보호하는 지리적 표시(이하 이 조에서 "지리적 표시"라 한다)에 대하여는 제2조 제1호 라목 및 마목의 부정경쟁행위 이외에도 지리적 표시에 나타난 장소를 원산지로 하지 아니하는 상품(지리적 표시를 사용하는 상품과 동일하거나 동일하다고 인식되는 상품으로 한정한다)에 관하여 다음 각호의 행위를 할 수 없다.
    1. 진정한 원산지 표시 이외에 별도로 지리적 표시를 사용하는 행위
    2. 지리적 표시를 번역 또는 음역하여 사용하는 행위
    3. "종류", "유형", "양식" 또는 "모조품" 등의 표현을 수반하여 지리적 표시를 사용하는 행위
  ② 정당한 권원이 없는 자는 다음 각호의 행위를 할 수 없다.
    1. 제1항 각호에 해당하는 방식으로 지리적 표시를 사용한 상품을 양도·인도 또는 이를 위하여 전시하거나 수입·수출하는 행위
    2. 제2조 제1호 라목 또는 마목에 해당하는 방식으로 지리적 표시를 사용한 상품을 인도하거나 이를 위하여 전시하는 행위
  ③ (생략)
[250] 대법원 1997. 2. 5.자 96마364 결정

또는 예방을 청구하는 것이 건전한 상거래의 질서유지라는 이념에서 정당하다고 평가받을 수 있어야 한다.251) 따라서 불법적인 영업에 따른 이익(살인청부업체, 성매매업소, 무면허행위 등)은 위에서 말하는 영업상의 이익이 존재하는 것으로 인정될 수 없다.

청구권자는 부정경쟁행위 등으로 인하여 자신의 영업상 이익이 침해되거나(=침해금지청구) 침해될 우려가 있는 상태(=침해예방청구)에 놓여 있어야 하므로, 검은 양의 침해행위가 완전히 종료되었거나 침해될 우려조차 존재하지 않는 상황이라면 위 침해금지 또는 침해예방청구를 할 수 없다.

다만, '영업상의 이익이 침해될 우려'는 그 문언으로부터 명백한 바와 같이 현실로 이익 침해가 있을 것을 필요로 하지 않고, 혼동행위 등에 의하여 장래 청구권자의 이익이 침해될 상당한 정도의 가능성이 있는 것으로 충분하다고 할 것이다.252)

한편, 침해금지 또는 침해예방청구를 인정할 것인지에 대한 판단은 사실심 변론종결 시를 기준으로 이루어진다.253)

나. 청구의 상대방

위 침해금지 또는 침해예방청구의 상대방은 '부정경쟁행위' 또는 '자유무역협정에 따라 보호하는 지리적 표시의 사용금지 등을 위반하는 행위(부정경쟁방지법 제3조의2 제1항 또는 제2항 위반행위)'라는 침해행

---

251) 대법원 1976. 2. 24. 선고 73다1238 판결
252) 서울중앙지방법원 2015. 8. 21. 선고 2014가합581498 판결
253) 대법원 2009. 6. 25. 선고 2009다22037 판결

위를 하고 있거나 장래에 할 우려가 있는 행위자이다. 행위자에 해당하는지 여부는 개별 사안에서 구체적인 사실관계에 따라 판단될 부분이지만, 여러 사람이 부정경쟁행위 등을 한 경우에는 그 모두가 행위자가 될 수도 있다. 어떤 회사 또는 사람이 문제된 부정경쟁행위 등을 직접적으로 하지 않은 경우에도 규범적인 측면에서 실질적으로 행위자로 평가되어 침해금지 또는 침해예방청구의 상대방이 될 수도 있을 것이다.

다. 금지 또는 예방의 대상

위 침해금지 또는 침해예방청구에 따라 금지 또는 예방의 대상이 되는 행위는 '부정경쟁행위' 또는 '자유무역협정에 따라 보호하는 지리적 표시의 사용금지 등을 위반하는 행위(부정경쟁방지법 제3조의2 제1항 또는 제2항 위반행위)', 즉 침해행위이다. 물론 실제 침해금지 또는 침해예방청구에서는 '부정경쟁행위' 등의 추상적인 개념을 사용하는 것이 아니라, 문제되는 부정경쟁행위의 내용(=금지 또는 예방의 대상이 되는 행위)을 구체적으로 특정하여야 한다.

예컨대, 검은 양이 자신의 렌트카 영업을 위해 무단으로 유명 명품 패션 브랜드인 'BURBERRY(버버리)'의 표장 등을 사용하는 부정경쟁행위를 하고 있다면, 청구하는 침해금지의 내용(=청구취지)은 '검은 양이 렌트카 영업에 위 'BURBERRY(버버리)' 표장을 사용해서는 안 된다는 것'이 되어야 한다.

같은 예시에서 '검은 양이 'BURBERRY(버버리)'와 관련된 부정경쟁행위를 하여서는 안 된다는 것'과 같이 지나치게 포괄적인 내용으로 침해금지청구를 하는 것은 허용될 수 없다.

라. 금지 또는 예방에 필요한 조치의 청구

위 침해금지 또는 침해예방청구를 하는 청구권자는 법원에 해당 청구와 함께 ① 부정경쟁행위 등에 따른 침해를 조성한 물건의 폐기, ② 부정경쟁행위 등에 제공된 설비의 제거, ③ 부정경쟁행위 등의 대상이 된 도메인이름의 등록말소, ④ 그 밖에 부정경쟁행위 등의 금지 또는 예방을 위하여 필요한 조치를 청구할 수 있다(부정경쟁방지법 제4조 제2항).

먼저, 부정경쟁행위 등에 따른 침해를 조성한 물건의 폐기(위 ①조치)가 어떤 것인지 살펴본다. 위 조치에서 '물건'은 부정경쟁행위에 이용된 물건(상품표지를 혼동하게 하는 광고선전물 등)과 부정경쟁행위로 생산된 물건(영업표지를 혼동하게 하는 표장이 부착된 완제품 등)을 포함한다.[254]

구체적으로 법원은 ① 정당한 대가를 지급하지 않은 타인의 브랜드네이밍 및 콘티를 활용하여 제작된 광고,[255] ② 저명상표 희석행위에 해당하는 표장이 부착된 완제품 및 반제품, 포장지, 포장용기, 선전광고물[256] 등의 물건에 대하여 그 폐기를 인정한 바 있다.

부정경쟁행위 등에 제공된 설비의 제거(위 ②조치)는 부정경쟁행위에 해당하는 표장이 부착된 제품의 생산에 제공된 설비나 장비 등을 제

---

[254] 최정열·이규호, 앞의 책, 418쪽
[255] 대법원 2020. 7. 23. 선고 2020다220607 판결
[256] 대법원 2000. 5. 12. 선고 98다49142 판결

거하는 것을 말한다. 그런데 설비 및 장비는 일반적으로 다양한 용도로 사용될 수 있다. 따라서 침해금지 또는 침해예방이라는 본래의 목적을 초과하지 않도록 단순히 위 설비 및 장비가 부정경쟁행위를 위해 사용된 적이 있다는 이유만으로 이들을 모두 제거하도록 하는 것은 신중할 필요가 있다.

다만, 어떤 설비나 장비가 오로지 부정경쟁행위를 초래하는 특정 제품의 생산 등에만 사용되는 것이라면 그 제거를 청구할 수 있을 것이다. 만약 해당 전체 설비에서 부정경쟁행위 등에 제공된 부분을 구분·분리할 수 있다면, 그 부분만이 제거 대상이 된다고 할 것이다.

도메인이름의 등록말소(위 ③조치)는 부정경쟁행위가 도메인이름의 사용으로 인한 것일 때 필요할 수 있다. 이 경우, 정당한 권리자는 도메인이름의 등록말소를 청구함으로써 침해를 조성하는 원인을 제거할 수 있다. 참고로, 앞에서도 언급한 것처럼 부정한 목적으로 등록된 도메인이름 등의 등록말소 또는 등록이전의 청구는 인터넷주소법을 통해서도 가능하다.

인터넷주소법 제12조 제2항은 정당한 권원이 있는 자는 그의 도메인이름 등의 등록을 방해하거나 그로부터 부당한 이득을 얻는 등 부정한 목적으로 도메인이름 등을 등록·보유 또는 사용하자는 자에 대하여 법원에 그 도메인이름 등의 등록말소 또는 등록이전을 청구할 수 있다고 규정하고 있기 때문이다.

기타 부정경쟁행위 등의 금지 또는 예방을 위하여 필요한 조치(위 ④조치)는 위에서 열거하지 않은 다른 조치가 침해금지 등을 위해 실질적으로 필요한 경우를 대비한 보충적 조항이다. 위 기타 필요한 조치는 부정경쟁방지법 제4조 제2항 각 목에서 명시적으로 열거하고 있는 물건의 폐기, 설비의 제거, 도메인이름의 등록말소 등과 유사한 조치로서, 현재 침해가 진행 중인 또는 침해가 우려되는 상태를 해소하기 위해 필요한 조치를 말하는 것으로 해석된다. 여기에는 광고선전물 중 일부 표현 등의 삭제, 광고의 중지, 수출입 금지 조치, 거래처에 대한 통지, 필요한 내용의 광고, 상호 등기의 말소[257] 등이 포함될 수 있을 것으로 보인다.[258]

금지 또는 예방에 필요한 조치를 명하는 주문의 예시[259]

2. 피고들은,

가. 별지 목록 기재 정보를 사용하거나, 이를 원고 이외의 자에게 제공 또는 공개하여서는 아니 되고,

나. 피고들의 사무소, 공장, 창고, 영업소 및 자택에 보관되어 있거나 피고들 소유의 컴퓨터 및 이동식 저장장치에 저장되어 있는 별지 목록 기재 정보에 관한 문서, 파일을 폐기, 삭제하며,

다. 피고들의 사무소, 공장, 창고, 영업소 및 자택에 보관 중인, 20XX. X. XX. 및 그 이후 별지 목록 기재 정보를 사용하여 제조된 제품 및 반제품을 폐기하라.

다만, 위와 같은 침해금지 또는 침해예방청구에 필요한 조치는 물건 소유자의 소유권 등을 침해하는 것이기도 하므로, 위 조치는 부정경쟁행위 등에 따른 침해를 금지하거나 예방하는 데에 필요하고도 충분한 한도 내로 제한되어야 하고, 위 조치에 관한 청구를 인용할 것

---

[257] 서울고등법원 1992. 1. 14. 선고 91나11461 판결
[258] 최정열·이규호, 앞의 책, 418~419쪽
[259] 서울중앙지방법원 2015. 12. 23. 선고 2014가합514641 판결

인지 여부를 결정할 때에는 그로 인하여 의무자가 입게 되는 불이익까지도 충분히 고려하여야만 한다.[260]

마. 실무적으로 고려할 부분

위와 같은 침해금지 및 침해예방청구는 소송(즉, 본안 소송)을 제기하는 방식으로 청구하는 것이 원칙이나, 본안 소송의 경우에는 변론 및 증거조사 등을 위해 재판기간이 장기화(최소 3개월 이상)되는 경우가 많기 때문에 그 기간 동안 부정경쟁행위 등이 계속됨으로 인하여 정당한 권리자에게 막대한 손해가 누적될 수 있다. 그래서 실무적으로는 위 침해금지 또는 침해예방청구와 더불어 또는 그 이전에 부정경쟁행위 등의 금지를 구하는 가처분을 신청함으로써 지속적인 침해의 발생을 방지하고자 하는 경우가 많다.

이러한 가처분 신청은 민사집행법상의 보전처분 절차에 따라 진행되고, 그 성격이 '임시의 지위를 정하기 위한 가처분'에 해당하므로 다툼이 있는 권리관계가 존재하여야 하며(=피보전권리), 계속하는 권리관계에 끼칠 현저한 손해를 피하거나 급박한 위험을 막기 위하여 또는 그 밖의 필요한 이유(=보전의 필요성)가 있어야 한다(민사집행법 제300조 제2항).

임시의 지위를 정하기 위한 가처분의 경우 채무자가 참석할 수 있는 심문기일을 열어야 하므로(민사집행법 제304조) 약간의 시간이 소요되기는 하나, 본안 소송보다 훨씬 빠르게 법원의 판단을 받을 수 있

---

[260] 대법원 1988. 4. 12. 선고 87다카90 판결

다는 장점이 있다. 대신 재판기간이 짧은 만큼 법원에 대한 주장·입증의 기회가 많지 않으므로, 피보전권리와 보전의 필요성을 인정받을 수 있도록 핵심적이고 간결하게 주장·입증을 할 필요가 있다. 신청 전에 필요한 자료 등이 충분히 확보되어 있어야 함은 물론이다.

또한 침해금지 또는 침해예방청구의 본안 소송에서 승소하였다고 하더라도 실질적으로 목적을 달성하기 위해서는 판결에 따른 집행(執行)이 필요한 경우가 있다. 예컨대, 침해금지청구 등에 따라 필요한 조치로서 물건의 폐기, 설비의 제거 등을 명하는 판결이 선고되었을 때 침해행위자인 검은 양이 스스로 폐기 등을 진행하지 않는다면 누군가가 그러한 폐기 등을 대신 진행하여야만 한다. 물건의 폐기나 설비의 제거 등과 같이 그 성격상 침해행위자가 아닌 제3자를 통해서도 이행이 가능하고, 다만 그 비용 부담만이 문제되는 조치(의무)의 경우에는 집행관 등을 통해서 물건의 폐기 등을 진행한 후 침해행위자에게 위 폐기 등에 소요된 비용을 청구할 수 있을 것이다. 이를 '대체집행'이라고 한다.

상품주체의 혼동을 초래하는 표지의 사용금지 등과 같이 침해행위자에게 문제된 행위를 하지 않을 의무(이를 '부작위 의무'라고 한다)를 부과하는 판결·결정의 경우에는 제3자가 이를 대신할 수 없다. 이는 판결·결정에서 침해행위자에게 어떠한 행위를 할 의무(이를 '작위 의무'라고 한다)를 부과하였는데 그 행위를 침해행위자만이 할 수 있는 경우에도 마찬가지이다.

이러한 경우에는 실효성 있는 강제를 위하여 침해행위자에게 위반행위를 하는 기간(또는 의무이행을 하지 않는 기간) 동안 매일 일정한 금액을 상대방(소송의 원고 등)에게 지급하도록 명하는 방식으로 집행이 이루어진다. 이를 '간접강제'라고 한다.

한편, 등기의 말소나 도메인이름의 등록말소 등 의사진술을 명하는 판결이 있는 경우에는 소송의 원고가 확정판결문을 활용하여 등기소나 한국인터넷진흥원을 통해 직접 등기나 등록의 말소를 청구할 수 있다.

도메인이름의 사용정지나 등록말소에 대해서는 한국인터넷진흥원의 '도메인이름 말소에 관한 세칙'에서 그 세부적인 절차 등을 정하고 있으므로 참고할 수 있다.

2

손해배상청구

가. 손해배상청구의 요건

검은 양의 부정경쟁행위는 정당한 권리자에게 다양한 유형·무형의 손해를 발생시킨다. 그래서 부정경쟁방지법 제5조는 고의 또는 과실에 의한 부정경쟁행위 등으로 타인의 영업상의 이익을 침해하여 손해를 입힌 자는 그 손해를 배상할 책임을 진다고 규정하고 있다.

부정경쟁행위에 따른 손해배상을 청구할 수 있는 사람, 즉 청구권자는 ① 고의 또는 과실에 의한 ② 부정경쟁행위 또는 부정경쟁방지법 제3조의2 제1항, 제2항(자유무역협정에 따라 보호하는 지리적 표시의 사용금지 등)을 위반한 행위[261]로 인하여 영업상의 이익을 침해당하고 손해를 입은 자이다. 저명상표 희석행위(부정경쟁방지법 제2조 제1호 다목)의 경우에는 고의에 의한 경우만으로 한정된다. 청구의 상대방은 부정경쟁행위 등으로 청구권자의 영업상 이익을 침해한 자(=침해행위자)가 된다. 영업상의 이익은 앞에서 침해금지 및 침해예방청구의 요건에서 설명한 내용과 같다.

---

261) 이하 제2항 내지 제4항에서 '부정경쟁행위 등'이라고 한다.

○ 법원은 상품의 제작자가 아닌 그와 독점공급계약을 체결한 독점적 판매권자가 부정경쟁방지법상 손해배상청구를 제기한 사안에서, 부정경쟁방지법에 따라 침해금지 및 침해예방청구를 할 수 있는 자에는 그러한 표지의 소유자뿐만 아니라 그 사용권자 등 그 표지의 사용에 관하여 고유하고 정당한 이익을 가지고 있는 자도 포함되고, 이는 부정경쟁행위에 따라 손해배상을 청구하는 경우에도 마찬가지로 적용되는 점, 독점적 판매권자도 판매망의 개척과 확보를 위한 노력을 한 결과 보호되어야 할 '영업상의 이익'이 있다고 보아야 하는 점, 부정경쟁행위자가 손해배상책임을 부담하게 되는 상대방을 단순히 '영업상의 이익이 침해되어 손해를 입은 자'로 규정하고 있을 뿐 그 주체를 상품의 제작자로 한정하고 있지 않은 점 등을 근거로, 부정경쟁방지법 제5조에 따른 손해배상을 청구할 수 있는 주체는 상품의 제작자뿐만 아니라 상품의 제작자와 독점공급계약을 체결한 독점적 판매권자도 포함된다고 판단하였다.[262]

위 손해배상청구를 위해서는 청구권자가 침해행위자의 부정경쟁행위 등에 대한 고의 또는 과실을 주장·입증하여야 한다. '고의'는 자신의 행위가 부정경쟁행위 등에 해당한다는 사실을 인식하고 있는 것을 말한다. 이러한 고의는 침해행위자에게 부정경쟁행위 등의 의도나 타인의 영업상 이익에 대한 침해 의사가 존재하지 않더라도 부정경쟁행

---

[262] 서울중앙지방법원 2018. 5. 4. 선고 2017가합502502 판결
같은 취지의 판결로 서울남부지방법원 2007. 2. 8. 선고 2006가합6288 판결도 있다.

위 등이라는 위법행위에 대한 인식만 존재한다면 인정될 수 있다.[263] '과실'은 평균적으로 거래상 요구되는 주의의무를 위반하여 자신의 행위가 부정경쟁행위 등에 해당함을 알지 못한 것을 말한다.[264]

손해배상청구는 '손해'를 전제로 하므로 어떤 형태이든(유형이든 무형이든) 청구권자에게 손해가 발생하였어야 하고, 그 손해는 침해행위자의 부정경쟁행위 등과 '인과관계'가 존재하는 것이어야 한다(즉, 부정경쟁행위 등이 발생한 손해의 원인이어야 한다). 예컨대, 검은 양이 ㈜착한기업의 영업표지와 관련하여 부정경쟁행위를 하였더라도 ㈜착한기업이 마침 위 영업표지와 관련된 사업을 위 부정경쟁행위 무렵 아예 포기하였거나 ㈜착한기업에게 위 부정경쟁행위와 무관한 임직원의 과실로 손해가 발생한 경우에는 위 사업의 포기 또는 임직원의 과실로 발생한 손해는 손해배상청구의 대상이 될 수 없다.

한편, 위 손해배상청구를 인정할 것인지에 대한 판단은 침해행위 당시를 기준으로 판단하게 된다.[265]

나. 손해액의 산정

부정경쟁방지법 제5조에 따른 손해배상청구의 요건이 갖추어졌다면, 그 다음에는 '손해액'을 얼마로 인정할 수 있는지가 실무적으로

---

263) 서울동부지방법원 2007. 5. 18. 선고 2006가합15289 판결
264) 서울고등법원 2010. 5. 10. 선고 2009라1941 판결
  상표권 침해에 관한 것이기는 하나, 침해행위를 방지하기 위한 주의의무의 구체적인 내용 등과 관련하여 참고할 만한 판례이다.
265) 대법원 2009. 6. 25. 선고 2009다22037 판결

가장 중요한 쟁점이 된다.

부정경쟁방지법에 따른 손해배상청구에서는 불법행위에 따른 손해배상청구 등과 마찬가지로 ① 적극적 손해, ② 소극적 손해, ③ 위자료(정신적 손해)라는 세 가지 형태의 손해가 문제된다.[266] 여기서 적극적 손해는 위법상태 또는 위법행위에 따른 결과를 회복하기 위해 지출되는 비용(상품주체 혼동을 초래하는 제품의 수거비용, 고객 보호를 위해 발송한 안내문 제작비용 등)을 말한다. 이해의 편의를 위해 음주운전 교통사고라는 불법행위를 가정하여 살펴보면 피해자가 지출한 병원비, 차량 수리비 등이 위 적극적 손해에 해당한다. 소극적 손해는 위법행위에 따라 얻지 못하게 된 이익(이를 '일실이익'이라고 한다) 상당의 손해(부정경쟁행위로 인하여 감소한 영업이익 등)를 말한다. 위 음주운전 교통사고 예시에서 피해자가 입원함에 따라 얻지 못하게 된 급여 상당의 이익 등이 위 소극적 손해에 해당한다. 위자료(정신적 손해)는 말 그대로 정신적인 고통 등을 금전으로 환산하여 보전하는 것이다. 위 음주운전 교통사고 예시에서 피해자가 사고의 트라우마로 인하여 가해자의 차량과 같은 종류의 차량만 보면 공황상태에 빠지게 되었다면, 그러한 손해가 위에서 말하는 정신적 손해에 해당한다.

그런데 부정경쟁행위에 따른 손해액을 산정하는 데에는 현실적으로 많은 어려움이 따른다. 상품주체 혼동행위 등 부정경쟁행위가 있었을 때 발생하게 되는 브랜드 가치의 훼손, 판매 부진 등의 손해는 그 성격상 이를 객관적인 금액으로 특정하여 주장·입증하기 어렵기 때문이

---

[266] 대법원 1976. 10. 12. 선고 76다1313 판결

다. 특히, 비용 지출의 객관적인 증빙 등이 존재하기 어려운 소극적 손해와 위자료의 경우에는 더욱 그러하다. 앞서 본 음주운전 교통사고 예시에서 사고로 다리가 부러졌다면 그 치료비를 손해로 인정하고 그 금액을 산정하는 것이 어렵지 않을 것이다. 하지만 상품형태 모방행위로 인한 매출 감소 등의 손해를 주장한다고 할 때 해당 매출의 감소가 실제로 위 부정경쟁행위로 인한 것인지 아니면 다른 요소(경기 불황, 경쟁업체 상품의 판매 호조 등)로 인한 것인지, 위 부정경쟁행위가 매출 감소에 영향을 미친 부분이 있다면 그 금액이 구체적으로 어느 정도인지를 명확하게 객관적으로 밝히기는 쉽지 않다.

위와 같은 이유에서 부정경쟁방지법은 다른 특수 불법행위와 마찬가지로 피해자의 손해를 법률상 추정하는 여러 규정을 두고 있다. 아래에서 자세히 살펴보기로 한다.

다. 손해액의 추정

부정경쟁방지법 제14조의2는 검은 양의 부정경쟁행위 등이 있을 때 손해액을 추정하는 다음과 같은 규정을 두고 있다.

부정경쟁방지법 제14조의2(손해액의 추정)

① 부정경쟁행위, 제3조의2 제1항이나 제2항을 위반한 행위 또는 영업비밀 침해행위로 영업상의 이익을 침해당한 자가 제5조 또는 제11조에 따른 손해배상을 청구하는 경우 영업상의 이익을 침해한 자가 그 부정경쟁행위, 제3조의2 제1항이나 제2항을 위반한 행위 또는 영업비밀 침해행위(이하 이 항에서 "부정경쟁행위등침해행위"라 한

다)를 하게 한 물건을 양도하였을 때에는 다음 각호에 해당하는 금액의 합계액을 손해액으로 할 수 있다.

1. 그 물건의 양도수량(영업상의 이익을 침해당한 자가 그 부정경쟁행위등침해행위 외의 사유로 판매할 수 없었던 사정이 있는 경우에는 그 부정경쟁행위등침해행위 외의 사유로 판매할 수 없었던 수량을 뺀 수량) 중 영업상의 이익을 침해당한 자가 생산할 수 있었던 물건의 수량에서 실제 판매한 물건의 수량을 뺀 수량을 넘지 아니하는 수량에 영업상의 이익을 침해당한 자가 그 부정경쟁행위등침해행위가 없었다면 판매할 수 있었던 물건의 단위수량당 이익액을 곱한 금액

2. 그 물건의 양도수량 중 영업상의 이익을 침해당한 자가 생산할 수 있었던 물건의 수량에서 실제 판매한 물건의 수량을 뺀 수량을 넘는 수량 또는 그 부정경쟁행위등침해행위 외의 사유로 판매할 수 없었던 수량이 있는 경우 이들 수량에 대해서는 영업상의 이익을 침해당한 자가 부정경쟁행위등침해행위가 없었으면 합리적으로 받을 수 있는 금액

② 부정경쟁행위, 제3조의2 제1항이나 제2항을 위반한 행위 또는 영업비밀 침해행위로 영업상의 이익을 침해당한 자가 제5조 또는 제11조에 따른 손해배상을 청구하는 경우 영업상의 이익을 침해한 자가 그 침해행위에 의하여 이익을 받은 것이 있으면 그 이익액을 영업상의 이익을 침해당한 자의 손해액으로 추정한다.

③ 부정경쟁행위, 제3조의2 제1항이나 제2항을 위반한 행위 또는 영업비밀 침해행위로 영업상의 이익을 침해당한 자는 제5조 또는 제11조에 따른 손해배상을 청구하는 경우 부정경쟁행위 또는 제3조의2 제1항이나 제2항을 위반한 행위의 대상이 된 상품 등에 사용된 상

표 등 표지의 사용 또는 영업비밀 침해행위의 대상이 된 영업비밀의 사용에 대하여 통상 받을 수 있는 금액에 상당하는 금액을 자기의 손해액으로 하여 손해배상을 청구할 수 있다.

④ 부정경쟁행위, 제3조의2 제1항이나 제2항을 위반한 행위 또는 영업비밀 침해행위로 인한 손해액이 제3항에 따른 금액을 초과하면 그 초과액에 대하여도 손해배상을 청구할 수 있다. 이 경우 그 영업상의 이익을 침해한 자에게 고의 또는 중대한 과실이 없으면 법원은 손해배상 금액을 산정할 때 이를 고려할 수 있다.

⑤ 법원은 부정경쟁행위, 제3조의2 제1항이나 제2항을 위반한 행위 또는 영업비밀 침해행위에 관한 소송에서 손해가 발생된 것은 인정되나 그 손해액을 입증하기 위하여 필요한 사실을 입증하는 것이 해당 사실의 성질상 극히 곤란한 경우에는 제1항부터 제4항까지의 규정에도 불구하고 변론 전체의 취지와 증거조사의 결과에 기초하여 상당한 손해액을 인정할 수 있다.

이하에서 위 각 규정의 내용을 구체적으로 살펴보자.

① 양도수량에 기초한 손해액 추정(부정경쟁방지법 제14조의2 제1항)[267]

위 추정 규정은 부정경쟁행위 등을 한 침해행위자가 그에 관련된 물건을 타인에게 양도하였을 때 적용된다. 부정경쟁행위 등으로 인하

---

[267] 침해자의 양도수량이 정당한 권리자의 생산능력을 초과하는 경우 침해자가 그 초과수량만큼의 이익을 부당하게 취하게 되어 오히려 침해가 이득인 상황이 발생할 수 있었고, 특허법 등이 같은 이유로 개정되면서 부정경쟁방지법의 위 손해액 추정 규정도 2020. 12. 22. 개정(2021. 6. 23. 시행)되었다.

여 영업상의 이익을 침해당한 자는 손해배상(부정경쟁방지법 제5조)을 청구하면서 다음 ⓐ 및 ⓑ에 해당하는 금액의 합계액(즉, ⓐ+ⓑ)을 손해액으로 주장할 수 있다.

위 ⓐ에 해당하는 금액은, '침해행위자가 양도한 물건의 수량'에 '영업상의 이익을 침해당한 자가 당해 부정경쟁행위 등이 없었더라면 물건의 단위수량당 얻을 수 있었던 이익액(=단위수량당 이익액)'을 곱한 금액을 말한다(부정경쟁방지법 제14조의2 제1항 제1호).

위 ⓐ에서 물건의 양도수량을 산정함에 있어서 영업상의 이익을 침해당한 자에게 당해 부정경쟁행위 등 외의 사유로 상품 등을 판매할 수 없었던 사정이 있는 경우에는 해당 사유로 판매할 수 없었던 수량은 제외되어야 한다. 예컨대, 축구공을 제조·판매하는 회사인 ㈜리버풀이 검은 양의 부정경쟁행위 등으로 영업상의 이익을 침해당하였는데 ㈜리버풀이 다른 행정상의 이유로 판매금지 조치를 당하여 3개월간 축구공을 판매할 수 없는 상황이었다면, 위 판매금지 조치에 따라 판매할 수 없었던 수량은 위 물건의 양도수량에서 제외되어야 한다.

또한 위 ⓐ에서 물건의 양도수량은 '영업상의 이익을 침해당한 자가 생산할 수 있었던 물건의 수량(=생산가능 수량)에서 실제 판매한 물건의 수량(=실제판매 수량)을 뺀 수량(=판매가능 수량)'을 그 한도로 한다. 영업상의 이익을 침해당한 자의 생산량에는 일정한 한계(=생산가능 수량)가 있을 것이기 때문에, 침해행위자의 부정경쟁행위 등이 존재하지 않는다고 하더라도 판매 가능한 수량에는 한계가 있을 수밖에 없는데 실제로 판매할 수 없는 수량에 대해서까지 단위수량당 이익액을 곱하여 손해액을 인정하는 것은 부적절하다는 점을 고려한 규정이다.

마지막으로, '단위수량당 이익액'은 영업상의 이익을 침해당한 자가 그 침해가 없었다면 판매할 수 있었을 것으로 보이는 제품의 단위당 판매가격에서 그 증가되는 제품의 판매를 위하여 추가로 지불하였을 것으로 보이는 제품 단위당 비용을 공제한 금액을 말한다.[268] 주의할 점은 기준이 되는 단위수량당 이익액은 침해행위자가 아니라 침해당한 자의 이익액을 기준으로 한다는 것이다.

위 ⓑ에 해당하는 금액은, '침해행위자가 양도한 물건의 수량 중 영업상의 이익을 침해당한 자가 생산할 수 있었던 물건의 수량에서 실제 판매한 물건의 수량을 제외한 수량을 넘는 수량' 또는 '당해 부정경쟁행위 등 외의 사유로 판매할 수 없었던 수량'에 대해서 '영업상의 이익을 침해당한 자가 당해 부정경쟁행위 등이 없었다면 합리적으로 받을 수 있는 금액'을 말한다(부정경쟁방지법 제14조의2 제1항 제2호).

침해행위자가 양도한 물건의 수량 중 위에서 말하는 각 수량은 영업상의 이익을 침해당한 자가 부정경쟁행위 등이 없었더라도 판매 등을 통해 이익을 얻을 수 없었던 수량이므로, 해당 수량에 단위수량당 이익액을 곱하는 방식으로 손해액을 산정하는 것은 과도한 배상이 될 수 있다. 그렇지만 위에서 말하는 각 수량을 손해액 산정에서 완전히 제외할 경우 영업상의 이익을 침해당한 자의 생산능력 등이 크지 않

---

268) 서울고등법원 2016. 6. 2. 선고 2015나2009569 판결
대법원 2006. 10. 13. 선고 2005다36830 판결에 기초하고 있다.

다는 등의 이유로 오히려 침해행위자가 이익을 보게 되는 부당한 결론이 초래될 수 있다.

예컨대, ㈜정성가득이 1년에 딱 10개의 제품만을 생산하는 회사이고 어떤 해에 생산가능한 제품 10개 중 9개를 판매하였는데, 검은 양이 ㈜정성가득의 영업표지 등을 무단으로 사용하여 같은 해에 100개의 제품을 판매한 경우를 가정해 보자. 이 경우에 ㈜정성가득의 생산가능 수량에서 실제 판매한 수량을 제외하면 1개(=10개-9개)인데, 이를 한도로 하게 될 경우 ㈜정성가득은 검은 양이 자신의 영업표지를 사용하여 100개나 되는 제품을 판매하였음에도 겨우 1개 상품에 대한 이익액만을 손해로 배상받게 된다. 그래서 개정 부정경쟁방지법에서는 위와 같은 경우에 그 해당 수량(=검은 양이 양도한 99개)에 대해서는 단위수량당 이익액 대신 부정경쟁행위 등이 없었더라면 영업상의 침해를 당한 자가 합리적으로 받을 수 있는 금액을 손해액으로 추정하고 있다.

'당해 부정경쟁행위 등이 없었다면 합리적으로 받을 수 있는 금액'은 침해행위자가 부정경쟁행위 등이 아니라 정상적으로 상품표지 등의 사용을 위해 사용료 등을 지급하였다면 영업상의 침해를 당한 자가 지급받았을 것으로 판단되는 합리적인 금액을 의미한다고 해석된다. 이에 대해서는 향후 판례 등을 통해 그 기준이 구체적으로 정해지게 될 것으로 보인다. 다만, 특허법, 상표법, 디자인보호법에서 종래 손해액 산정 기준으로 '통상적으로 받을 수 있는 금액'을 규정하였는데, 이를 거래업계에서 일반적으로 인정되는 로열티로 판단하다보니 실제 손해보다 낮은 수준의 손해액만이 인정된다는 지적이 있어서

'합리적으로 받을 수 있는 금액'으로 개정이 이루어졌고, 이러한 내용이 부정경쟁방지법상 위 손해액 추정 규정에도 반영된 것이라는 점을 고려하면, 위 합리적으로 받을 수 있는 금액은 아래에서 살펴볼 통상사용료보다 개별적인 사안의 특성(당사자 사이의 관계, 침해행위의 정도, 침해행위자의 이익 수준, 상품표지 등의 다른 제3자에 대한 이용허락 여부 및 그 사용료 등)을 더욱 충분히 고려하여 그 금액이 결정되어야 할 것으로 보인다.

위 내용을 요약하여 정리하면 다음과 같다.

침해행위자가 물건을 양도한 경우의 손해액 추정

침해행위자가 양도한 물건의 수량 = ①
침해당한 자가 당해 부정경쟁행위 등 외의 사유로 판매할 수 없었던 수량 = ②
침해당한 자가 생산할 수 있었던 물건의 수량 - 실제 판매한 수량 = ③

ⓐ = (① - ②, 다만 ③의 수량을 최대한도[269]로 함) × 침해당한 자의
　　단위수량당 이익액
ⓑ = {(① - ③) 또는 ②}에 대하여 침해당한 자가 당해 부정경쟁행위 등
　　이 없었다면 합리적으로 받을 수 있는 금액
　　(위 '① - ③' 부분은 해당 수량이 '+'인 경우에만 적용된다)

침해행위자가 물건을 양도한 경우의 손해액 = ⓐ + ⓑ

---

[269] 앞서 본 ㈜리버풀의 예에서 검은 양이 양도한 축구공 수량이 50개(①), ㈜리버풀이 부정경쟁행위 등 외의 사유로 판매할 수 없었던 축구공 수량이 20개(②), ㈜리버풀이 생산 가능한 축구공 수량 중 실제 판매한 축구공을 뺀 수량이 20개(③)라면, 위에서 ①-②는 30개이지만 최대한도인 20개(③)에 단위수량당 이익액을 곱한 것이 손해액(ⓐ부분)이 된다.

② 침해행위자의 이익에 기초한 손해액 추정
(부정경쟁방지법 제14조의2 제2항)

위 추정 규정은 침해행위자가 부정경쟁행위 등을 통해 얻은 이익이 있을 때에 적용된다. 부정경쟁행위 등으로 인하여 영업상의 이익을 침해당한 자는 손해배상(부정경쟁방지법 제5조)을 청구하면서 침해행위자가 부정경쟁행위 등에 의하여 이익을 얻은 것이 있으면 그 이익액을 자신의 손해액으로 주장할 수 있다.

위 추정 규정과 관련해서는 '이익액'을 어떻게 산정할지가 문제된다. 부정경쟁행위 등을 통해 판매한 상품의 매출액 전체를 손해액으로 인정하는 것은 '이익'이라는 개념에 부합하지 않으므로, 위 매출액과 관련된 비용이 공제되어야 할 것이다. 실무상으로는 침해행위자의 매출액에 영업상의 이익을 침해당한 자의 순이익률 또는 한계이익[270]률을 곱한 금액이나 침해행위자의 매출액에서 과세당국이 인정하는 해당 분야의 기준경비율에 매출액을 곱한 금액을 공제한 금액 등이 손해로 인정되는 경우가 많다.[271]

○ 법원은 '백세주' 상표가 문제된 사안에서, 부정경쟁방지법 제14조의2 제2항에 따른 침해행위자의 이익액은 침해제품의 총 판매금액에 그 순이익률을 곱하는 등의 방법으로 산출하는 것이 원칙이지만, 침해행위자의 판매금액에 영업상의 이익을 침해당한 자(=청구권

---

[270] 매출액에서 변동비용(제품 등의 생산량에 정비례하여 변화하는 비용)을 공제한 금액을 말한다.

[271] 최정열·이규호, 앞의 책, 444쪽

자)의 순이익률을 곱하는 방식에 의해서도 산정할 수 있다고 판단하였다. 참고로 위 사건에서 기준이 된 청구권자의 순이익률(매출액 대비 영업이익률)은 30.48% 수준이었다.[272]

한편, 위 추정 규정은 부정경쟁행위 등이 있는 경우에 손해액을 추정하는 규정일 뿐 손해의 발생까지 추정하는 취지의 규정은 아니므로, 위 침해행위자의 이익액 상당을 손해액으로 주장하기 위해서는 청구권자가 침해행위에 의하여 실제로 영업상의 손해를 입었다는 것 자체는 주장·입증할 필요가 있다. 다만, 이 경우에 손해 발생에 관한 주장·입증의 정도는 손해 발생의 염려 내지 개연성의 존재를 주장·입증하는 것으로 족하다고 보아야 하고, 청구권자가 침해행위자와 동종의 영업을 하고 있는 경우라면 특별한 사정이 없는 한 그러한 침해에 의하여 영업상의 손해를 입었음이 사실상 추정된다고 할 것이다.[273]

③ 통상사용료에 기초한 손해액 추정(부정경쟁방지법 제14조의2 제3항)

부정경쟁행위 등으로 인하여 영업상의 이익을 침해당한 자는 침해행위자를 상대로 손해배상(부정경쟁방지법 제5조)을 청구하면서 부정경쟁행위 등의 대상이 된 상품 등에 사용된 상표 등 표지의 사용에 대하여 통상 받을 수 있는 금액(=통상사용료) 상당을 자기의 손해액으로

---

272) 수원지방법원 2003. 4. 18. 선고 2002가합9304 판결
    참고로 해당 판결이 근거로 든 판결은 대법원 1997. 9. 12. 선고 96다43119 판결이었다.
273) 서울고등법원 2002. 5. 1. 선고 2001나4377 판결

주장할 수 있다. 위 추정 규정은 침해행위자가 부정경쟁행위 등을 통해 얻은 이익액을 산정하기 어렵거나 그 이익이 적어 침해당한 영업상의 이익을 보전하기에 부족한 경우 등에 적용된다.

영업상의 이익을 침해당한 자가 주장할 수 있는 상표 등의 통상사용료는 같은 상표 등에 관하여 사용료나 실시료가 이미 책정되어 있는 경우(예컨대, 침해행위자 아닌 제3자와 위 상표 등에 관한 사용계약 또는 실시계약이 체결되어 있는 경우 등)라면 그 금액을 기준으로 삼을 수 있을 것이다. 문제된 상표 등과 유사한 성격을 갖는 표지에 대해서 시장에 형성되어 있는 사용료 또는 실시료도 참고할 수 있을 것이다.

만약 부정경쟁행위 등으로 인하여 영업상의 이익을 침해당한 자의 실제 손해액이 위 통상사용료를 초과한다면, 청구권자는 그 초과액에 대해서도 침해행위자에게 손해배상을 청구할 수 있다(부정경쟁방지법 제14조의2 제4항 본문). 부정경쟁행위 등으로 인하여 청구권자에게 통상사용료 이상의 손해가 실제로 발생하였다면 이를 침해행위자가 배상할 필요가 있기 때문이다. 다만, 통상사용료를 초과하는 손해가 실제로 발생하였다는 점과 그 구체적인 손해액은 그와 같은 손해를 주장하는 자(=청구권자)가 주장·입증하여야 한다.

위와 같이 실제 손해액을 인정하는 경우에 법원은 침해행위자에게 고의 또는 중대한 과실이 없다면 이를 손해액 산정 시에 고려할 수 있다(부정경쟁방지법 제14조의2 제4항 단서). 여기서 손해액 산정 시에 고려되는 사정은 침해행위자가 고의 또는 중대한 과실 없이 통상사용료를 초과하는 손해가 발생하리라는 것을 예견하지 못하였다는 점이고, 이를 고려한다는 것은 해당 사정을 참작하여 침해행위자가 배상하여야 할 손해액을 감경할 수 있다는 것을 의미한다.

④ 변론의 전체 취지 등에 따른 상당한 손해액의 인정
(부정경쟁방지법 제14조의2 제5항)

부정경쟁행위 등에 관한 소송에서 손해 자체의 발생은 인정되지만, 해당 사안의 특성상 그 손해액을 객관적인 근거에 의하여 증명하는 것이 현저히 곤란한 경우가 있다. 부정경쟁방지법은 이러한 경우에 영업상의 이익을 침해당한 자를 보호하기 위하여 앞서 본 부정경쟁방지법 제14조의2 제1항 내지 제4항까지의 규정에도 불구하고 변론 전체의 취지와 증거조사의 결과에 기초하여 법원이 상당한 손해액을 인정할 수 있다고 규정하고 있다(부정경쟁방지법 제14조의2 제5항).

여기서 변론의 전체 취지란 소송의 증거조사 결과 외에 소송 과정에서 확인된 나머지 일체의 소송자료로서, 당사자가 주장한 내용, 그 주장의 태도, 증거신청의 시기나 당사자의 인간관계 등 법관의 심증(주관적 확신) 형성에 참작되는 모든 자료를 말한다.[274] 증거조사의 결과는 당사자들이 제출한 증거를 포함하여 증인신문 내용, 감정, 검증, 사실조회 등의 증거조사를 통해 확인된 내용을 말한다.

위 규정에 따라 법원은 부정경쟁행위 등에 따른 손해액을 산정할 때에 다양한 소송자료를 활용할 수 있으나, 위 규정이 법관에게 위 손해액 산정에 관한 자유재량을 부여하고 있는 것은 아니다. 따라서 법원은 위 규정에 따라 구체적 손해액을 판단함에 있어서 손해액 산

---

[274] 대법원 1962. 4. 12. 선고 4294민상1078 판결

정의 근거가 되는 간접사실들의 탐색에 최선의 노력을 다해야 하고, 그와 같이 탐색해 낸 간접사실들을 합리적으로 평가하여 객관적으로 수긍할 수 있는 손해액을 산정해야만 한다.[275]

위 규정에 따라 법원이 변론 전체의 취지 등을 고려하여 상당한 손해액을 인정한 실제 사례들을 살펴보면 다음과 같다.

○ 법원은 앞서 본 출구조사 결과의 무단사용이 문제된 사안에서, ① 피고(=침해행위자)가 원고들과 출구조사 결과에 관한 이용허락계약을 체결하였다면 그 대가로 약 6억 6,000만 원 정도가 지출되었을 것으로 보이는 점, ② 원고들이 피고의 부정경쟁행위로 인하여 출구조사 결과를 사용하지 못하거나 이를 통해 어떠한 이익도 얻지 못한 것으로 보기는 어려운 점 등을 종합하여 원고들(3개 방송사)이 입은 손해액을 각 2억 원으로 평가하였다.[276]

○ 법원은 내비게이션 제품 제조사인 침해행위자가 영업주체 혼동행위를 한 것으로 인정한 사안에서, ① 원고들이 피고(=침해행위자)가 문제된 상호를 사용하여 내비게이션 제품을 판매하여 얻은 영업이익이 3억 원이 넘는다고 주장하고 있는 점, ② 피고의 매출액이 2007. 7. 1.부터 2007. 12. 31.까지 약 234억 원, 2008. 1. 1.부터 2008. 12. 31.까지 약 634억 원, 2009. 1. 1.부터 2009. 12. 31.까지

---

[275] 서울고등법원 2020. 5. 28. 선고 2018나2068927 판결
[276] 대법원 2017. 6. 15. 선고 2017다200139 판결
　　　서울고등법원 2016. 11. 24. 선고 2015나2049789 판결

약 719억 원인 점 등의 제반 사정을 참작하여 피고가 원고들에게 배상하여야 할 손해액을 2억 원으로 인정하였다.[277]

○ 법원은 피고가 등산용품에 원고의 표장을 부착하여 판매한 것이 문제된 사안에서, ① 피고(=침해행위자)의 매장과 유사한 형태로 각 표장을 부착한 상품을 판매한 다른 등산용품 매장들의 평균 월 매출액이 14,266,122원에 이르는 점, ② 피고의 영업이익률은 특별한 사정이 없는 한 피해자인 원고의 영업이익률(23.2%)보다 적지 않고 위 다른 등산용품 매장의 운영기간이나 피고의 등산용품 매장의 규모에 비추어 매장 운영이 최소한 3개월 이상 지속되었을 것으로 보이는 점 등을 종합적으로 고려하여 원고의 손해액을 19,858,441원{=14,266,122원/개월 × 2(피고가 운영한 매장 수) × 23.2%(원고의 영업이익률) × 3개월}으로 인정하였다.[278]

라. 징벌적 손해배상(부정경쟁방지법 제14조의2 제6항, 제7항)

부정경쟁행위 중 아이디어 탈취행위(차목)에 관해서는 그 침해행위가 고의적인 것으로 인정되는 경우에 법원이 앞서 본 부정경쟁방지법 제14조의2 제1항부터 제5항까지의 규정에 따라 손해로 인정된 금액의 3배를 넘지 않는 범위에서 배상액을 정할 수 있다(부정경쟁방지법 제14조의2 제6항). 이는 부정경쟁방지법상 손해배상에 '징벌적 손해배상(punitive damages)'을 도입한 것으로, 해당 규정(차목 부분)은 부정경쟁방

---

[277] 서울중앙지방법원 2010. 8. 11. 선고 2010가합2843 판결
[278] 수원지방법원 2010. 3. 18. 선고 2008가합22606 판결

지법이 2020. 10. 20. 일부 개정되면서 추가되었다.

위 징벌적 손해배상은 모든 부정경쟁행위로 인한 손해배상에 적용되는 것이 아니고, 부정경쟁행위 중 '아이디어 탈취행위(차목)'로 인한 손해배상에 적용된다.

법원은 침해행위자에게 위와 같은 징벌적 손해배상을 명하면서 그 배상액을 정할 때에 ① 침해행위자가 우월적 지위에 있었는지 여부, ② 침해행위자의 고의 또는 손해 발생의 우려를 인식한 정도, ③ 침해행위로 인하여 영업비밀 보유자가 입은 피해규모, ④ 침해행위로 인하여 침해행위자가 얻은 경제적 이익, ⑤ 침해행위의 기간과 횟수 등, ⑥ 침해행위에 따른 벌금, ⑦ 침해행위자의 재산상태, ⑧ 침해행위자의 피해를 구제하기 위한 노력의 정도 등을 고려하여 위 배상액을 정하여야 한다(부정경쟁방지법 제14조의2 제7항).

마. 소송절차상의 특별규정

부정경쟁행위 등에 따른 손해배상청구소송은 기본적으로 민사소송법에서 규정하고 있는 소송절차에 따라 진행된다. 다만, 부정경쟁방지법은 부정경쟁행위 등으로 인한 손해배상청구의 특성을 고려하여 소송절차에 관한 몇 가지 특별규정을 마련해 두고 있다. 이하에서 그 구체적인 내용을 살펴본다.

우선, 법원은 부정경쟁행위 등으로 인한 영업상 이익의 침해에 관한 소송에서 당사자의 신청에 의하여 상대방 당사자에게 대하여 해당 침해행위로 인한 손해액을 산정하는 데에 필요한 자료의 제출을 명할 수 있다(부정경쟁방지법 제14조의3 본문). 다만, 그 자료의 소지자가 자료

의 제출을 거절할 정당한 이유가 있는 경우에는 예외로 한다(부정경쟁
방지법 제14조의3 단서).

위 규정은 부정경쟁행위 등으로 인하여 영업상의 이익을 침해당한
자의 손해를 산정함에 있어서 기초가 될 만한 자료(침해행위자의 매출
액, 영업이익, 문제된 상품의 판매량 등)가 일반적으로 침해행위자의 지배
하에 보관·관리되고 있어서 청구권자의 손해액 주장·입증이 쉽지 않
음을 고려한 것이다. 위 규정은 침해행위자에게 필요한 자료를 제출
하도록 강제하는 한편, 그 제출 거부에 정당한 이유가 있는 경우에는
자료를 제출하지 않을 수 있는 길을 열어둠으로써 이해관계인들의 형
평을 꾀하고 있다.

부정경쟁행위 등으로 인한 소송에서는 법원이 비밀유지명령을 내릴
수도 있다. 법원은 부정경쟁행위 등으로 인한 영업상 이익의 침해에
관한 소송에서 그 당사자가 보유한 영업비밀이 일정 요건을 갖춘 것
으로 소명279)되는 경우에는 그 당사자의 신청에 따라 결정280)으로 다
른 당사자 등에게 그 영업비밀을 해당 소송의 계속적인 수행 외의 목
적으로 사용하거나 그 영업비밀에 관계된 명령을 받은 자 이외의 자에
게 공개하지 않을 것을 명할 수 있다(부정경쟁방지법 제14조의4 제1항).

비밀유지명령을 신청하는 당사자는 ① 이미 제출하였거나 제출하여
야 할 준비서면 또는 이미 조사하였거나 조사하여야 할 증거에 영업

---

279) 일반적으로 '증명'은 어떤 사실의 존재에 관하여 법관에게 확신을 심어줄 수 있을
정도를 의미하고, '소명'은 법관이 어떤 사실의 존재가 일단 확실할 것이라는 추측
을 얻을 수 있는 정도를 의미한다.
280) '판결'과 대비되는 재판의 형식으로 가압류·가처분 사건의 재판, 부수적인 절차적
사항의 판단 등이 이러한 '결정'의 형식으로 이루어진다.

비밀이 포함되어 있다는 것, ② 해당 영업비밀이 해당 소송 수행 외의 목적으로 사용되거나 공개되면 당사자의 영업에 지장을 줄 우려가 있어 이를 방지하기 위하여 영업비밀의 사용 또는 공개를 제한할 필요가 있다는 것이라는 두 가지 사유를 모두 소명하여야만 한다. 이경우, 비밀유지명령의 상대방은 다른 당사자(법인인 경우에는 그 대표자), 당사자를 위하여 소송을 대리하는 자, 그 밖에 해당 소송으로 인하여 영업비밀을 알게 된 자가 된다.

비밀유지명령의 내용은 '해당 영업비밀을 해당 소송의 계속적인 수행 외의 목적으로 사용하거나 비밀유지명령을 받은 자 이외의 자에게 공개하지 않을 것'이 된다.

다만, 당사자가 비밀유지명령을 신청한 시점까지 다른 당사자(법인인 경우에는 그 대표자), 당사자를 위하여 소송을 대리하는 자, 그 밖에 해당 소송으로 인하여 영업비밀을 알게 된 자가 앞서 살펴본 준비서면의 열람이나 증거조사 외의 방법으로 그 영업비밀을 이미 취득하고 있는 경우에는 예외가 인정된다(부정경쟁방지법 제14조의4 제1항 단서).

절차적인 측면을 살펴보면, 당사자는 위 비밀유지명령을 신청할 때에 법원에 비밀유지명령을 받을 자, 비밀유지명령의 대상이 될 영업비밀을 특정하기에 충분한 사실, 부정경쟁방지법 제14조의4 제1항 각호(앞서 살펴본 두 가지 사유)에 해당하는 사실을 기재한 서면을 제출하여야 한다(부정경쟁방지법 제14조의4 제2항). 그리고 법원은 비밀유지명령을 결정하는 경우에 그 결정서를 비밀유지명령을 받을 자에게 송달하여야 하고, 그 송달 시부터 비밀유지명령의 효력이 발생한다(부정경쟁방지법 제14조의4 제3항, 제4항). 법원이 비밀유지명령 신청을 기각하거나 각하한 재판에 대해서는 즉시항고[281])를 할 수 있다(부정경쟁방지법 제14조의4 제5항).

법원이 비밀유지명령을 내린 경우에도 실제로는 해당 비밀유지명령의 신청이 앞서 본 부정경쟁방지법 제14조의4 제1항의 요건을 갖추지 못하였거나 사후적으로 해당 요건을 갖추지 못하게 되는 경우가 있다. 이러한 경우에 비밀유지명령을 신청한 자 또는 비밀유지명령을 받은 자는 위와 같은 내용을 주장하면서 법원(소송기록을 보관하고 있는 법원 또는 소송기록을 보관하고 있는 법원이 없는 경우에는 비밀유지명령을 내린 법원)에 비밀유지명령의 취소를 신청할 수 있다(부정경쟁방지법 제14조의5 제1항).

위 비밀유지명령의 취소에 대해서도 절차적인 부분을 조문 위주로 살펴보면, 법원은 비밀유지명령의 취소 신청에 대한 재판이 있는 경우에는 그 결정서를 그 신청을 한 자 및 상대방에게 송달하여야 하고(부정경쟁방지법 제14조의5 제2항), 비밀유지명령의 취소 신청에 대한 재판에 대해서는 즉시항고를 할 수 있다(부정경쟁방지법 제14조의5 제3항). 또한 비밀유지명령을 취소하는 재판은 확정되어야 그 효력이 발생하고(부정경쟁방지법 제14조의5 제4항), 비밀유지명령을 취소하는 재판을 한 법원은 비밀유지명령의 취소 신청을 한 자 또는 상대방 외에 해당 영업비밀에 관한 비밀유지명령을 받은 자가 있는 경우에는 그 자에게 즉시 비밀유지명령의 취소 재판을 한 사실을 알려야 한다(부정경쟁방지법 제14조의5 제5항).

[281) 소송절차에 관한 신청을 기각한 결정이나 명령에 대하여 다투는 불복신청의 한 방법이다.

3

신용회복을 위한 조치

검은 양의 부정경쟁행위 등은 때로는 정당한 권리자에게 단순히 금전적인 손해를 입히는 데에 그치지 않고 영업상의 신용을 실추시키는 결과를 초래하기도 한다. 검은 양이 타인의 상호 등을 사용한 상품을 판매하여 상품주체를 혼동하게 만들었을 뿐만 아니라 위 상품에 유해물질까지 포함되어 있어서 사회적으로 논란이 된 경우 등이 그러하다. 부정경쟁방지법은 이러한 경우를 대비하여 부정경쟁행위 등의 구제방법 중 하나로서 신용회복 청구(부정경쟁방지법 제6조)를 규정하고 있다.

위와 같은 신용회복 청구가 인정되기 위해서는 침해행위자의 ① 고의 또는 과실에 의한 ② 부정경쟁행위나 부정경쟁방지법 제3조의2 제1항 또는 제2항 위반행위(자유무역협정에 따라 보호하는 지리적 표시의 사용금지 등 위반행위)가 있어야 한다. 저명상표 희석행위(부정경쟁방지법 제2조 제1호 다목)의 경우에는 고의에 의한 경우만으로 한정된다.

또한 ③ 침해행위자의 위와 같은 부정경쟁행위 등으로 인하여 정당한 권리자의 영업상의 신용이 실추되었어야 한다. 영업상 신용의 실추는 부정경쟁행위의 존재만으로 당연히 인정되는 것은 아니고, 부정경쟁행위 외에 해당 부정경쟁행위로 인하여 정당한 권리자의 영업상의 신용이 실추되었음을 인정할 수 있는 다른 사정이 존재하여야 한다. 영업상의 신용이 실추되었는지 여부는 침해행위 당시를 기준으로 판단된다.[282]

○ 법원은 소화제와 관련된 사안에서, 피고가 판매한 유사 소화제의 품질이 조악하여 거래계에서 원고가 제조·판매한 이 사건 소화제의 신용이 손상되었다는 등의 특별한 사정이 있었음을 인정할 자료를 기록상 찾아보기 어려운 이상 원고의 영업상 신용이 실추되었음을 인정하기는 어렵다고 판단하였다.[283]

○ 법원은 상표권 침해가 문제된 사안에서, 원고의 타인이 이 사건 등록상표를 사용하게 되면 원고의 영업상의 신용이 실추된다는 주장에 대하여 단순히 상표권 침해자가 여러 명 있다는 이유만으로는 원고의 영업상의 신용이 실추된다고 단정하기에 부족하다고 판단하였다.[284]

위와 같은 요건이 갖추어진 경우, 부정경쟁행위 등으로 인하여 영업상의 이익이 침해된 자(=청구권자)는 침해행위자를 상대로 법원에 손해배상에 갈음하거나 손해배상과 함께 영업상의 신용을 회복하는 데에 필요한 조치를 청구할 수 있다.

---

[282] 대법원 2008. 2. 29. 선고 2006다22043 판결
[283] 대법원 2008. 11. 13. 선고 2006다22722 판결
[284] 대법원 2001. 4. 24. 선고 2001후188 판결

신용회복에 필요한 조치가 구체적으로 무엇인지는 개별 사안별로 달라질 수도 있을 것이나, 일반적으로는 부정경쟁행위 등이 있었음을 알리는 해명광고(또는 해명문)의 게재 등이 사용되고 있다. 다만, 위 해명광고의 내용에 사과문 등 사죄(謝罪)하는 부분이 포함되는 것은 헌법상 보장되는 인격권의 침해로서 허용되지 않는다.[285]

법원에서 신용회복 조치로서 해명광고를 명할 때에는 아래에서 보는 것처럼 언제, 어떤 매체에서, 어떤 형식으로 해명광고를 할 것인지에 관한 내용이 포함되어야 한다.

해명광고를 명하는 주문의 예시[286]

4. 피고 A 주식회사는 이 사건 판결 확정일로부터 2개월 이내에 공휴일을 제외한 월요일부터 금요일까지 발행되는 조선일보, 동아일보, 중앙일보, 매일경제신문, 한국경제신문, 한국일보, 경향신문, 한겨레신문의 각 경제면 또는 사회면 하단 광고란에 별지4 기재 해명광고를 가로 18㎝, 세로 17㎝ 규격으로, 제목을 32급 신명조체활자, 원고 및 피고 A 주식회사의 명칭을 20급 고딕체 활자, 본문을 14급 신명조체 활자로 하여 각 1회씩 게재하라.

한편, 하급심 판결 중에는 부정경쟁행위의 동기, 문제된 상품의 판매량, 문제된 상표가 소멸등록된 점, 영업상 손해와 영업상 신용 실추에 따른 손해배상이 인정된 점 등을 종합하여 신용회복을 위한 조치(해명광고의 게재)까지 명하는 것은 과도한 배상에 해당하여 인정할 수 없다고 판단한 것도 있다.[287]

---

285) 헌법재판소 1991. 4. 1.자 89헌마160 결정
286) 서울중앙지방법원 2012. 4. 6. 선고 2010가합86698 판결
287) 서울동부지법 2004. 2. 12. 선고 2000가합1820 판결

4

부당이득반환청구 등

부정경쟁행위 등에 따른 손해배상청구의 경우 침해행위자의 고의 또는 과실을 그 요건으로 한다. 그런데 부정경쟁행위가 객관적으로 존재하는 경우에도 침해행위자의 고의 또는 과실이 존재하지 않는 경우가 있다. 예컨대, 외부와 아무런 교류가 없는 무인도에 살던 어떤 사람이 상표를 독자적으로 창작하여 그 상표를 부착한 상품을 제3자를 통해 판매하기 시작하였는데, 그 상표가 실제로는 저명상표와 동일하였던 경우(즉, 저명상표 희석행위) 등이 여기에 해당한다.[288]

이러한 경우에는 부정경쟁방지법상 손해배상청구의 요건이 충족되지 않으므로 침해행위자에게 손해배상을 청구할 수는 없게 된다.

정당한 권리자는 위와 같은 경우에 또는 침해행위자의 고의 또는 과실이 인정되는 경우(즉, 손해배상청구를 할 수 있는 경우)[289]에도 침해행

---

[288] 물론 실제 사건에서 고의 또는 과실은 주관적 인식이 아닌 객관적인 사정들을 통해 추단되는 것이고, 자신의 영업에 어떤 상표를 사용하고자 하는 사람은 동종 업계에 동일·유사한 상표가 존재하는지를 어느 정도는 확인할 주의의무를 부담한다고 할 것이므로, 실제 사안에서 부정경쟁행위가 인정됨에도 불구하고 침해행위자의 고의 또는 과실만이 부정되는 경우는 많지 않다.

[289] 서울고등법원, 1997. 8. 12. 선고 95나36598 판결

위자가 부정경쟁행위로 이익을 얻은 부분이 있으면 부당이득반환청구를 할 수 있다(민법 제741조).

위와 같은 부당이득반환청구가 인정되려면 ① 침해행위자가 법률상의 원인 없이 ② 정당한 권리자의 재산 또는 노무(타인의 상품표지, 영업표지 등이 이에 해당할 수 있을 것이다)로 인하여 이익을 얻고, ③ 정당한 권리자에게 손해를 가하였어야 한다. 그리고 ④ 침해행위자가 얻은 이익과 정당한 권리자가 입은 손해 사이에는 인과관계가 존재하여야 한다.

5

부정경쟁행위 등에 대한 형사처벌

가. 형사처벌의 대상이 되는 부정경쟁행위 등

부정경쟁방지법은 위법성이 크다고 판단되는 일부 부정경쟁행위에 대해서는 형사처벌을 할 수 있도록 벌칙 규정을 마련해 두고 있다. 형사처벌 대상에 해당하는 부정경쟁행위에 대해서는 정당한 권리자가 형사 고소 등을 통해 침해행위자(=검은 양)에 대한 조사가 진행되도록 할 수 있다. 그리고 위 조사에서 확인된 내용에 따라 침해행위자가 형사처벌을 받도록 하거나 조사 과정에서 침해행위자와 합의를 할 수도 있다.

부정경쟁행위 중 형사처벌의 대상이 되는 행위는 상품주체·영업주체 혼동행위(가목 및 나목), 저명상표 희석행위(다목), 원산지·생산지·품질 오인 유발행위(라목, 마목, 바목), 대리인의 무단사용 행위(사목), 상품형태 모방행위(자목)와[290] 부정경쟁방지법 제3조를 위반하여 파리협약 당사국, 세계무역기구 회원국 또는 상표법 조약 체약국의 국기·국장, 그 밖의 휘장, 국제기구의 표지, 파리협약 당사국, 세계무역기구 회원

---

[290] 부정경쟁행위 중 도메인이름 사용행위(아목), 아이디어 탈취행위(차목), 타인성과 무단사용 행위(카목)에 대해서는 위 벌칙 규정이 적용되지 않는다.

국 또는 상표법 조약 체약국 정부의 감독용·증명용 표지 중 하나에 해당하는 휘장 또는 표지와 동일·유사한 것을 상표로 사용하는 행위이다(부정경쟁방지법 제18조 제3항).

위에 해당하는 부정경쟁행위를 한 자(=침해행위자)는 3년 이하의 징역 또는 3천만 원 이하의 벌금으로 처벌할 수 있다. 부정경쟁행위에 대해서는 대법원 양형위원회의 양형[291]기준이 존재하므로 개별 사안에서 다음과 같은 가중·감경 요소들을 고려하여 최종적인 형량이 정해지게 된다.[292]

구 분		감경요소	가중요소
특별 양형 인자	행위	– 실제 피해가 경미한 경우 – 범행가담/범행동기에 특히 참작할 사유가 있는 경우	– 계획적·조직적 범행 – 피해자에게 심각한 피해를 초래한 경우 – 다수 소비자를 상대로 기망하거나 적극적인 기망수단을 사용한 경우 – 침해가 객관적으로 명백한 상태에서 침해중단 요구를 받고도 침해행위를 지속한 경우
	행위자 / 기타	– 농아자 – 심신미약(본인 책임 없음) – 자수 – 처벌불원(피해 회복을 위한 진지한 노력 포함)	– 동종, 누범

---

[291] 법정형(3년 이하의 징역 또는 3천만 원 이하의 벌금)의 범위 내에서 실제로 어느 정도의 형(=선고형)을 선고할지를 판단하는 것을 '양형(量刑)'이라고 한다.

[292] "부정경쟁행위 양형기준", 양형위원회 홈페이지, 2021년 2월 28일 접속
https://sc.scourt.go.kr/sc/krsc/criterion/criterion_43/intellectual_property_01.jsp

구 분		감경요소	가중요소
일반 양형 인자	행위	– 소극 가담 – 생계형 범죄	– 반복적 또는 장기간의 범행 – 피해규모가 큰 경우
	행위자 / 기타	– 진지한 반성 – 피해 회복을 위한 노력 – 형사처벌 전력 없음.	– 동종 전과 (집행 종료 후 10년 미만)

영업비밀 침해에 대한 형사처벌의 경우 미수(未遂)나 예비·음모의 경우에도 처벌하는 규정을 두고 있으나(부정경쟁방지법 제18조의2, 제18조 의3), 부정경쟁행위 등에 따른 형사처벌의 경우에는 위와 같은 규정을 두고 있지 않으므로 미수나 예비·음모의 경우에 따로 처벌되지 않는다.

부정경쟁행위 등에 대해서는 양벌규정이 존재하므로 법인의 대표자나 법인 또는 개인의 대리인, 사용인, 그 밖의 종업원이 그 법인 또는 개인의 업무에 관하여 부정경쟁행위 등을 한 경우에는 그 행위자를 벌하는 외에 그 법인 또는 개인에게도 해당 조문의 벌금형(3천만 원 이하의 벌금)이 부과된다.

다만, 법인 또는 개인이 그 위반행위를 방지하기 위하여 해당 업무에 관하여 상당한 주의와 감독을 게을리하지 않은 경우에는 예외로 한다(부정경쟁방지법 제19조 단서 부분).

구체적인 사안에서 법인 등이 상당한 주의 또는 관리·감독을 게을리하였는지 여부는 해당 위반행위와 관련된 모든 사정, 즉 해당 법률의 입법 취지, 처벌조항 위반으로 예상되는 법익 침해의 정도, 위반행위에 관하여 양벌규정을 마련한 취지 등은 물론 위반행위의 구체적인 모습과 그로 인하여 실제 야기된 피해 또는 결과의 정도, 법인 등의 영업 규모 및 행위자에 대한 감독가능성이나 구체적인 지휘·감독 관계, 법인이 위반행위 방지를 위하여 실제 행한 조치 등을 전체적으로 종합하여 판단하게 된다.293)

나. 형사고소·고발과 관련하여 실무적으로 유의할 부분

검은 양의 부정경쟁행위에 대한 수사는 보통 정당한 권리자의 고소 등에 의하여 진행된다. 그리고 검은 양에 대한 수사는 <고소·고발의 접수 → 수사개시 → 고소인(고발인) 조사 → 피고소인(침해행위자)에 대한 조사(필요한 경우 강제수사 등) → 증거자료 분석 → 기소여부 판단 → 검찰송치>의 순으로 진행된다.294)

그런데 정당한 권리자로서는 고소 등을 통해 검은 양의 부정경쟁행위 사실을 경찰 등에 알렸다고 해서 모든 일이 끝난 것이 아니다. 많은 사람이 형사고소 등을 한 경우에 범죄사실을 고소하기만 하면 나머지는 경찰 등 수사기관에서 완벽한 조사를 통해 범죄사실을 명백히 밝혀내고 범죄자를 처벌함으로써 자신의 억울함을 풀어줄 것이라고 생각한다. 그러나 많은 사건에서 고소인이 원하는대로 처벌이 이루어지기 위해서는 고소인 역시 상당한 시간과 노력을 투자해야만 한다.

피고소인(침해행위자)의 경우 고소를 당하게 되면 형사처벌을 받지 않기 위해서 변호인을 선임하고 자신에게 유리한 진술과 증거를 제출

---

293) 대법원 2018. 7. 12. 선고 2015도464 판결
294) 참고로, 부정경쟁방지법 위반행위의 경우 검찰·경찰 수사권 조정 이후에도 검찰의 직접 수사 범위에 포함되어 있다(검찰청법 제4조 제1항 제1호 가목, 검사의 수사 개시 범죄 범위에 관한 규정 제2조 제2호 바목 등 참조).

하는 등 적극적으로 대응하게 된다.

담당 수사관은 해당 사건만을 담당하는 것도 아니고 직접적인 당사자(고소인)도 아니기 때문에 고소인이 고소 후 사건에 관심을 갖지 않거나 소극적인 태도로 일관하게 되면 위와 같은 피고소인의 적극적인 대응에 따라 수사방향 등이 피고소인에게 유리한 쪽으로 흘러갈 가능성이 높다. 그리고 수사기관에서 한번 불기소결정 등이 내려지게 되면 해당 내용이 민사사건이나 추가적인 형사고소 사건에서도 불리하게 작용할 수밖에 없게 된다.

실제로 많은 사람이 고소 후 아무런 신경을 쓰지 않다가 불기소결정을 받고 나서야 변호사 등의 도움을 구하는 등 뒤늦게 적극적으로 대응하는 경우가 많다. 이러한 경우 중에는 처음부터 고소인이 적극적으로 대응을 하였다면 훨씬 더 좋은 결과를 얻을 수 있었던 경우가 결코 적지 않다.

위와 같은 이유에서 부정경쟁행위 등으로 인하여 영업상의 이익을 침해당한 자가 침해행위자에 대한 고소 등을 진행하는 경우에는 고소인 스스로도 수사기관에 범죄사실(부정경쟁행위 등)을 뒷받침하는 사실관계와 그 증거를 적극적으로 제출함으로써 수사를 도와야만 한다.

구체적으로 살펴보면, 고소인으로서는 우선 고소장 등에 해당 부정경쟁행위의 요건에 해당하는 사실관계를 구체적으로 기재하여야 할 것이고 각 사실관계를 뒷받침하는 객관적인 증거 역시 제출하여야 할 것이다.[295]

---

[295] 예컨대, 저명상표 희석행위(다목)를 예로 들면 고소인의 상품표지·영업표지가 국내에 널리 인식되어 있다는 점, 침해행위자가 위 상품표지·영업표지와 동일 또는 유

또한 고소인으로서는 고소 후 담당 수사관 등의 연락처를 확인하여 주기적으로 수사 진행상황을 확인하면서 피고소인(침해행위자)의 주장 등에 시기적절하게 대응할 수 있도록 해야 할 것이다. 고소대리인(변호사)을 선임하여 위와 같은 대응이 이루어질 수 있도록 하는 것 역시 적극적인 대응 방법의 하나이다.

참고로, 위와 같이 형사고소를 하는 이유 중 하나는 수사기관의 강제수사 등을 통해 확인된 사실을 민사소송에서도 활용하기 위해서이다. 사인(私人)이나 사기업(私企業)은 부정경쟁행위 등을 당한 경우에도 그 구체적인 경위를 확인하고 관련 증거들을 수집하는 것이 결코 쉽지만은 않다. 그래서 형사고소 등을 통해 수사기관과 협력함으로써 강제수사 등을 통해 민사소송에서도 유리하게 활용될 수 있는 증거나 진술 등을 확보하고자 하는 경우가 많다. 또한 관련 형사사건의 판결에서 인정된 사실은 특별한 사정이 없는 한 민사소송에서도 유력한 자료가 되므로,[296] 민사소송을 조금 더 효율적으로 신속하게 진행하는 데에 도움이 될 수도 있다.

다만, 관련 형사사건의 판결에서 인정된 사실이라고 하더라도 민사재판에서 제출된 다른 증거내용에 비추어 형사판결의 사실판단을 그대로 채택하기 어렵다고 인정될 경우에는 민사재판을 담당하는 법원이 관련 형사사건의 판결에서 인정된 것과 다른 사실을 인정할 수도

사한 것을 사용하거나 이러한 것을 사용한 상품을 판매·반포 또는 수입·수출하였다는 점, 침해행위자의 위와 같은 행위가 고소인의 상품표지·영업표지 등의 식별력이나 명성을 손상하고 있다는 점 등에 관한 사실관계가 고소장에 구체적으로 기재되고 그와 관련된 객관적인 증거가 첨부되어야 할 것이다.

296) 대법원 1994. 2. 8. 선고 93도19153 판결

있다. 실제로 법원은 형사사건에서 '주지성'을 인정하였음에도 다른 증거에 기초하여 민사소송에서는 '주지성'을 부정하기도 하였다.[297]

---

[297] 서울중앙지방법원 2017. 10. 27. 선고 2016가합553435 판결

6

부정경쟁행위 등에 대한
행정적 제재

가. 시정권고

검은 양이 부정경쟁행위(도메인이름 사용행위와 타인성과 무단사용 행위는 제외한다)나 부정경쟁방지법 제3조(국기·국장 등의 사용금지), 제3조의2(자유무역협정에 따라 보호하는 지리적 표시의 사용금지 등) 제1항 또는 제2항을 위반하는 행위를 하였다고 인정되는 경우, 특허청장, 시·도지사 또는 시장·군수·구청장[298]은 그 위반행위를 한 자에게 30일 이내의 기간을 정하여 위반행위의 중지, 표시 등의 제거나 수정, 향후 재발 방지, 그 밖에 시정에 필요한 권고를 할 수 있다(부정경쟁방지법 제8조 제1항).

만약 침해행위자가 위 시정권고를 이행하지 않는 때에는 특허청장 등이 위반행위의 내용 및 시정권고 사실 등을 공표할 수 있다(부정경쟁방지법 제8조 제2항). 이러한 공표의 절차 및 방법 등은 부정경쟁방지법 시행령에서 구체적으로 정하고 있다(부정경쟁방지법 제8조 제3항).

특허청장 등은 위 시정권고 대상인지를 확인하기 위하여(즉, 부정경

---

[298] 이하 본항에서 '특허청장 등'이라고 한다.

쟁행위 등이 존재하는지를 확인하기 위하여) 필요한 경우로서 다른 방법으로는 그 행위 여부를 확인하기 곤란한 경우에는 관계 공무원에게 영업시설 또는 제조시설에 출입하여 관계 서류나 장부·제품 등을 조사하게 하거나 조사에 필요한 최소분량의 제품을 수거하여 검사하게 할 수 있다(부정경쟁방지법 제7조 제1항).

이러한 조사절차 등에 관하여 필요한 사항 역시 부정경쟁방지법 시행령에서 구체적으로 정하고 있다(부정경쟁방지법 제7조 제6항). 이와 관련해서는 행정규칙인 부정경쟁행위 방지에 관한 업무처리규정(특허청 고시)에서도 세부적인 절차 등을 규정하고 있다.

위와 같은 행정조사나 시정권고 등은 특허청 등의 자체적인 활동을 통해 진행되기도 하지만, 정당한 권리자 등의 신고에 의해서도 이루어진다. 이러한 신고는 특허청 산업재산조사과나 한국지식재산보호원 부정경쟁조사팀에 신고서를 제출하는 방식으로 이루어지고, 위 신고서 양식은 산업재산침해 및 부정경쟁행위 신고센터(www.ippolice.go.kr)에서 다운로드 받을 수 있다.

신고서에는 신고인의 인적사항, 위반된 부정경쟁방지법의 조항, 법 위반행위와 관련된 상품, 사실관계, 피신고인(침해행위자)의 인적사항, 피신고인과의 관계, 기타 증빙서류 등을 기재하도록 되어 있다. 위 신고센터 홈페이지에서는 부정경쟁행위의 각 유형별로 어떤 내용이 기재되어야 하는지에 대해서도 별도의 설명자료를 배포하고 있다.

나. 과태료

특허청장 등에 의한 부정경쟁행위 등의 조사(부정경쟁방지법 제7조 제1항) 과정에서 관계 공무원의 조사나 수거를 거부·방해 또는 기피한 자에 대해서는 2천만 원 이하의 과태료가 부과될 수 있다(부정경쟁방지법 제20조 제1항 제1호).

영업비밀 침해에
대응하는 방법

1

침해금지 및 침해예방청구

가. 청구권자

검은 양[299])이 영업비밀 침해행위를 하고 있을 경우 영업비밀 보유자의 피해는 지속적으로 발생하게 되고, 사후적으로 이루어지는 손해배상청구(금전적 배상)만으로는 권리자의 위와 같은 피해를 완전히 회복시킬 수 없다. 그래서 부정경쟁방지법은 영업비밀 보유자에게 영업비밀 침해행위자인 검은 양을 상대로 영업비밀 침해행위의 금지 또는 예방을 청구할 수 있는 권리를 부여하고 있다.

즉, 영업비밀 보유자는 검은 양의 영업비밀 침해행위로 인하여 자신의 영업상의 이익이 침해되거나 침해될 우려가 있는 경우에는 법원에 그 행위의 금지 또는 예방을 청구할 수 있다(부정경쟁방지법 제10조 제1항).

---

299) 영업비밀 침해행위에 대한 대응방안은 앞서 살펴본 부정경쟁행위 등에 대한 대응방안과 중복되는 부분이 많다. 다만, 대응방안에 관한 부분은 실무적으로 가장 중요한 부분 중 하나이고, 앞 부분을 참조하도록 할 경우 실제 문제가 발생하였을 때 바로 그 내용을 확인하기 어려우므로, 본항(V)에서는 가능하면 부정경쟁행위 등에 대한 대응방안과 중복 또는 유사한 부분이라고 하더라도 다시 한번 구체적으로 설명하기로 한다.

위 침해금지 또는 침해예방청구를 할 수 있는 사람, 즉 청구권자는 영업비밀 보유자이다. 여기에는 당해 영업비밀을 처음으로 개발하여 취득한 사람뿐만 아니라 역설계에 의한 영업비밀 보유자, 그 양수인, 실시권자 등과 같이 정당한 권원에 의하여 영업비밀을 보유·사용하는 사람이 포함된다.[300]

청구권자는 영업비밀 침해행위로 인하여 자신의 영업상 이익이 침해되거나(=침해금지청구) 침해될 우려가 있는 상태(=침해예방청구)에 놓여 있어야 하므로, 검은 양의 침해행위가 완전히 종료되었거나 침해될 우려조차 존재하지 않는 상황이라면 위 침해금지 또는 침해예방청구를 할 수 없다. 여기서 영업상의 이익은 재산적인 이익(현금, 자산 등) 외에 신용, 명예, 그 밖에 경영상의 이익 등을 폭넓게 포함하는 개념이다. 물론 불법적인 영업에 따른 이익은 제외된다.

영업상의 이익을 침해할 우려가 있는지는 객관적인 침해 가능성을 판단하여 결정될 부분으로, 주관적인 침해 가능성에 따라 결정되는 것은 아니다. 법원은 위 '침해될 우려'는 "단순히 침해될 가능성만으로는 부족하고 침해될 것이 확실히 예상되는 개연성을 의미하지만, 원래 영업비밀은 그것이 공개되는 순간 비밀성을 상실하게 되어 보호 적격마저 부인되는 특성을 가지고 있고, 한편 그 어느 때보다도 기업 경쟁이 치열한 오늘날 개발하거나 획득한 영업비밀의 유지는 그 기업의 사활이 걸린 중대한 문제이므로, 일단 상대방이 부정한 수단으로 영업비밀을 취득한 것이 입증되면 특별한 사정이 없는 한 그 부정취

---

300) 특허청 발간자료(리앤아이피, 한국특허정보원, 한국지식재산보호협회), 「영업비밀 관리 매뉴얼 제1편 영업비밀 이론편」, 특허청 산업재산보호팀(2011), 61쪽

득자에 의하여 영업비밀이 사용되거나 공개되어 영업비밀 보유자의 영업상의 이익이 침해될 우려가 있다고 보아야 할 것이다."라고 판단한 바 있다.[301)

한편, 침해금지 또는 침해예방청구를 인정할 것인지에 대한 판단은 사실심 변론종결 시를 기준으로 이루어져야 할 것이다.

나. 청구의 상대방

위 침해금지 또는 침해예방청구의 상대방은 영업비밀 침해행위라는 침해행위를 하고 있거나 장래에 할 우려가 있는 행위자이다. 이러한 침해행위자로는 직접 당사자, 전직 또는 현직 직원, 침해행위자로부터 영업비밀을 취득(즉, 전득)한 제3자 등을 생각할 수 있다.[302)

다. 금지 또는 예방의 대상

위 침해금지 또는 침해예방청구에 따라 금지 또는 예방의 대상이 되는 행위는 '영업비밀 침해행위'이다. 그러므로 우선 청구권자가 침해되었다고 주장하는 영업비밀의 특정이 필요하다. 이러한 영업비밀의 특정 시에는 법원의 심리와 상대방의 방어권 행사에 지장이 없도록 그 비밀성을 잃지 않는 한도에서 가능한 한 영업비밀을 구체적으로 특정하여야 하고, 어느 정도로 영업비밀을 특정하여야 하는지는 영업비밀로 주장된 개별 정보의 내용과 성질, 관련 분야에서 공지된

---

301) 서울고등법원 1996. 2. 29. 선고 95나14420 판결
302) 특허청 발간자료(리앤아이피, 한국특허정보원, 한국지식재산보호협회), 앞의 책, 62쪽

정보의 내용, 영업비밀 침해행위의 구체적 모습과 금지청구(또는 예방청구)의 내용, 영업비밀 보유자와 상대방 사이의 관계 등 여러 사정을 고려하여 판단하여야 한다.[303)]

○ 법원은 피신청인(침해행위자로 지목된 사람)들이 문제된 정보가 일반적, 개괄적, 추상적으로 기재되어 있어서 이미 공지되어 있는 정보와 차이가 없다고 주장한 사안에서, 신청인(청구권자)이 위 정보가 수치자료, 업무매뉴얼 등의 데이터베이스 형태로 신청인 회사 내에 보관되고 있다는 취지로 주장만 할 뿐 그러한 데이터베이스의 존재를 인정할 수 있는 아무런 소명자료를 제출하지 않고, 위 정보가 침해행위자가 주장하는 공지된 정보와 어떻게 다른지도 구체적으로 특정하여 주장·소명하지 않았다는 이유로 위 사건에서 영업비밀이 제대로 특정된 것으로 볼 수 없다고 판단하였다.[304)]

○ 법원은 상당한 정도의 기술력과 노하우를 가지고 경쟁사로 전직하여 종전의 업무와 동일·유사한 업무에 종사하는 근로자를 상대로 영업비밀침해금지를 구하는 사안에서, 위와 같은 경우에 사용자가 주장하는 영업비밀이 영업비밀로서의 요건을 갖추었는지 여부 및 영업비밀로서 특정이 되었는지 등을 판단할 때에는 사용자가 주장하는 영업비밀 자체의 내용뿐만 아니라 위 근로자의 근무기간, 담당업무, 직책, 영업비밀에의 접근 가능성, 전직한 회사에서 담당하는 업무의 내용과 성격, 사용자와 근로자가 전직한 회사와의 관계

---

303) 대법원 2013. 8. 22.자 2011마1624 결정
304) 위 2011마1624 결정

등 여러 사정을 고려하여야 한다고 판단하였다.[305]

○ 공장 건설을 위한 여러 기술정보를 담고 있는 설계도가 문제된 사안에서, 법원은 그 공지 여부나 경제적 가치도 이러한 설계도를 기초로 한 해당 공정의 공장 건설의 관점에서 파악해 보아야 하고, 또한 어느 한 부분이나 분리된 각각의 설계 값을 따로 떼어낼 것이 아니라 그러한 정보들이 서로 밀접하게 결합된 유기적인 일체로서 그 실체나 가치를 분석해 보아야 한다고 설명하였다. 그리고 위 사안에서 법원은 이러한 기준에 따라 피고가 관련 계약에 따라 그 사용 또는 개시 금지 의무를 부담하는 대상인지 여부도 위 설계도에 포함된 각 기술정보 전체를 일체로 취급하여 판단하여야 한다고 판시하였다.[306]

영업비밀의 특정과 관련해서는 다음과 같은 판결의 내용도 참고할 만하다.

○ 법원은 영업비밀의 특정과 관련하여, "원래 판결의 주문은 그 내용이 특정되어야 하고 또 주문 자체에서 특정할 수 있어야 한다. 그러나 그 특정의 정도는 어떠한 범위에서 당사자의 청구를 인용하고 배척하는 것인가를 그 이유와 대조하여 짐작할 수 있을 정도로 표시하면 충분하고 그 범위를 지시하기 위하여 주문 자체에서 일체의 관계를 일일이 명료하게 지적하여야 하는 것은 아니다. 이 사

---

305) 대법원 2003. 7. 16.자 2002마4380 결정
306) 서울고등법원 2016. 4. 7. 선고 2015나2015922 판결

건의 경우에 관하여 보건대, 주문에 이 사건 기술정보로서 주문에서 인용하고 있는 별지 목록 기재 기술정보를 각종 화공약품의 종류와 그 약품들의 조성비율 및 조성방법에 관하여 구체적으로 자세히 적시한다면 주문의 특정성이라는 요구는 완전히 충족된다 하겠으나, 이 사건과 같이 영업비밀의 존부 및 그 침해 여부가 문제되는 경우에 있어서 판결의 주문이나 이유에 영업비밀의 구체적 내용이 그대로 적시될 경우, 영업비밀 침해행위자에게 자신이 침해한 영업비밀의 내용을 재확인할 수 있는 기회를 주게 될 뿐만 아니라 특정 또는 불특정다수의 제3자가 판결문을 보거나 이를 입수하여 그 영업비밀의 내용을 알게 되어 결국에는 영업비밀이 더 이상 영업비밀로서 유지되지 못하고 말 염려가 있고, 이로 인하여 거꾸로 부정경쟁방지법이 추구하는 영업비밀이 침해될 소지가 있다. 따라서 이 사건과 같이 영업비밀 침해의 금지를 명하는 판결의 주문에서 그 영업비밀의 내용은 건물명도와 같은 다른 이행판결만큼 구체적으로 자세히 적시될 것을 요하지는 않는다 할 것이고, 이 사건의 경우 당사자들은 이 사건 기술정보를 보유하거나 그것이 기재되어 있는 이 사건 노트를 소지하고 있어 누구보다 그 내용을 잘 알고 있으며, 이 사건 노트의 복사본이 수사기관에 제출되었을 뿐만 아니라 이 사건 소송기록에도 편철되어 있으므로 이 사건 기술정보에 관하여 별지 목록 기재 정도로만 기재하여도 판결 이유와 대조하여 그 내용을 참작할 수 있어 충분히 특정된다 할 것이므로, 더 이상의 구체적인 특정은 하지 않기로 한다."라고 판시하

기도 하였다.[307]

위 침해금지 또는 침해예방청구를 위해서는 침해된 영업비밀의 특정 후에 문제되는 영업비밀 침해행위의 내용(=금지 또는 예방의 대상이 되는 행위) 역시 구체적으로 특정하여야 한다. 이는 영업비밀 침해행위가 부정경쟁방지법 제2조 제3호 각 목의 어디에 해당하는지를 전제로 하여 그 구체적인 행위를 표시하는 방식으로 이루어져야 할 것이다.

영업비밀 침해행위를 금지시키는 것은 검은 양(=침해행위자)이 침해행위에 의하여 공정한 경쟁자보다 유리한 출발 내지 시간절약이라는 우월한 위치에서 부당하게 이익을 취하지 못하도록 하고, 영업비밀 보유자로 하여금 그러한 침해가 없었더라면 원래 있었을 위치로 되돌아갈 수 있게 하는 데에 그 목적이 있다. 그러므로 영업비밀 침해행위의 금지는 공정하고 자유로운 경쟁의 보장 및 인적 신뢰관계의 보호 등의 목적을 달성함에 필요한 시간적 범위 내로 제한되어야 하고, 그 범위를 정함에 있어서는 영업비밀인 기술정보의 내용과 난이도, 영업비밀 보유자의 기술정보 취득에 소요된 기간과 비용, 영업비밀의 유지에 기울인 노력과 방법, 침해행위자들이나 다른 공정한 경쟁자가 독자적인 개발이나 역설계와 같은 합법적인 방법에 의하여 그 기술정보를 취득하는 데에 필요한 시간, 침해행위자가 종업원(퇴직한 경우 포함)인 경우에는 사용자와의 관계에서 그에 종속하여 근무하였던 기간,

---

[307] 서울고등법원 1996. 2. 29. 선고 95나14420 판결

담당 업무나 직책, 영업비밀에의 접근 정도, 영업비밀보호에 관한 내규나 약정, 종업원이었던 자의 생계 활동 및 직업선택의 자유와 영업활동의 자유, 지적재산권의 일종으로서 존속기간이 정해져 있는 특허권 등의 보호기간과의 비교, 기타 재판과정에 나타난 당사자의 인적·물적 시설 등을 고려하여 합리적으로 결정하여야 한다.[308)]

그리고 위와 같이 영업비밀이 보호되는 시간적 범위는 당사자 사이에 영업비밀이 비밀로서 존속하는 기간이므로, 그 기간의 경과로 영업비밀은 당연히 소멸하여 더 이상 비밀이 아니게 된다. 위 영업비밀이 보호되는 기간은 퇴직 후 부정한 목적의 영업비밀 침해행위가 없는 평온·공연한 기간만을 가리키는 것이 아니고, 그 기산점이 퇴직 후의 새로운 약정이 있는 때 또는 영업비밀 침해행위가 마지막으로 이루어진 때인 것도 아니다. 나아가 영업비밀 침해금지 기간 중에 영업비밀을 침해하는 행위를 한 경우에는 그 침해기간만큼 금지기간이 연장되어야 한다고도 볼 수 없다.[309)]

다만, 영업비밀 침해금지청구소송에서 판결의 주문에 금지기간을 정하지 않았다고 하여 모두 위법하다고 볼 수는 없고, 장래 일정한 기간 내에 영업비밀 요건의 상실이 확실시되는 시점을 확정하기 곤란한 경우에는 금지기간을 정하지 않을 수도 있다.[310)] 물론 금지기간을 설정하지 않은 경우에도 영구히 금지되는 것은 아니고, 판결이 확정

---

308) 대법원 1998. 2. 13. 선고 97다24528 판결
309) 위 97다24528 판결
310) 대법원 2009. 3. 16.자 2008마1087 결정
    대법원 2014. 3. 13. 선고 2011다17557 판결
    서울중앙지방법원 2019. 6. 21. 선고 2017가합556769 판결

된 이후에 더 이상 영업비밀에 해당하지 않게 되었다면 당사자로서는 그 집행력의 배제를 구하기 위하여 청구이의의 소 등을 제기할 수 있다.311)

참고로, 위와 같은 영업비밀 보호기간의 범위 및 그 종기(終期)를 확정하기 위한 기산점의 설정은 그것이 형평의 원칙에 비추어 현저히 불합리하다고 인정되지 않는 한 사실심312)의 전권사항에 속한다.313)

라. 금지 또는 예방에 필요한 조치의 청구

위 침해금지 또는 침해예방청구를 하는 청구권자는 법원에 해당 청구와 함께 ① 영업비밀 침해행위를 조성한 물건의 폐기, ② 영업비밀 침해행위에 제공된 설비의 제거, ③ 그 밖에 영업비밀 침해행위의 금지 또는 예방을 위하여 필요한 조치를 청구할 수 있다(부정경쟁방지법 제10조 제2항).

영업비밀 침해행위를 조성한 물건의 폐기(위 ①조치)는 영업비밀 그 자체(영업비밀이 저장된 이동식 저장장치 등)를 포함하여 영업비밀 침해행위에 이용된 물건과 영업비밀 침해행위를 통해 생산된 물건(영업비밀인 기술정보를 활용하여 생산된 제품, 생산 관련 설비) 등에 대하여 인정된다.

영업비밀 침해행위에 제공된 설비의 제거(위 ②조치)는 영업비밀 침해를 위해 사용된 특수장비나 영업비밀이 부정 사용된 제조설비 등에 대하여 인정된다. 위 조치를 명함에 있어서는 부정경쟁행위 등에 제

---

311) 서울고등법원 2018. 1. 11. 선고 2014나2011824 판결
312) 앞서도 본 것처럼 법률심인 대법원에 대비되는 개념이다.
313) 대법원 2019. 9. 10. 선고 2017다34981 판결

공된 설비의 제거 부분에서 설명한 것과 마찬가지로 설비는 일반적으로 다양한 용도로 사용될 수 있다는 점을 고려하여 침해금지 또는 침해예방이라는 본래의 목적을 초과하지 않도록 주의하여야 한다. 해당 설비가 영업비밀 침해행위와 직접적인 관련성이 없거나 부수적으로 이용된 경우에는 그 제거를 명하는 것은 신중하여야 한다. 예컨대, 침해행위자가 영업비밀이 기재된 노트를 복사하여 경쟁회사 직원들에게 배부하였다고 할 때 위 복사기의 제거를 명하는 것은 허용될 수 없다고 보아야 한다. 만약 해당 전체 설비에서 영업비밀 침해행위와 직접적으로 관련된 부분을 구분·분리할 수 있다면 그 부분만의 제거를 명하여야 한다.

기타 부정경쟁행위 등의 금지 또는 예방을 위하여 필요한 조치(위 ③조치)는 위에서 열거하지 않은 다른 조치가 침해금지 등을 위해 실질적으로 필요한 경우를 대비한 보충적 조항이다. 위 기타 필요한 조치는 부정경쟁방지법 제10조 제2항에서 명시적으로 열거하고 있는 물건의 폐기, 설비의 제거 등과 유사한 조치로서, 현재 침해가 진행 중인 또는 침해가 우려되는 상태를 해소하기 위해 필요한 조치를 말하는 것으로 해석된다. 여기에는 침해행위자에 대한 담보제공 명령, 영업비밀 침해 사실의 광고, 침해행위자에 대한 전직 금지 등이 포함될 수 있을 것으로 보인다.

위와 같은 물건의 폐기나 설비의 제거를 명하는 경우, 법원으로서는 해당 물건 등이 현재 존재하는지, 현재 소지자가 누구이며 해당 물건 등의 소유자나 처분권한을 가진 자가 누구인지도 함께 살펴보아야 한다.314) 현재 존재하지 않거나 청구의 상대방이 가지고 있지 않은 물건 등에 대해서는 그 폐기를 명하더라도 상대방이 이를 이행할 수 없기 때문이다.

위 침해금지 또는 예방에 필요한 조치가 문제된 실제 사례들을 살펴보면 다음과 같다.

○ 법원은 영업비밀 보유자에게 고용되어 영업비밀을 취득한 자(전 직원)가 이를 자신의 소유인 노트에 기재하였다가 다른 회사에 스카우트되어 그 회사에서 근무하면서 위 노트에 기재된 영업비밀을 이용하여 영업비밀 침해행위를 한 사안에서, 위 직원이 당초에 위 노트에 영업비밀을 기재한 것 자체는 영업비밀 침해행위에 해당하지 않으나 이후에 위 노트를 다른 회사에서 위 노트에 기재된 영업비밀인 기술정보를 이용하여 제품을 제조함으로써 위 영업비밀을 다른 회사에 공개하는 데 제공하고 있다면 위 노트는 '침해행위를 조성한 물건'에 해당하고, 영업비밀 침해행위가 계속될 염려가 있다면 위 노트에 대한 폐기를 명할 수 있다고 판단하였다.315)

○ 법원은 근로자가 전직한 회사에서 영업비밀과 관련된 업무에 종사하는 것을 금지하지 않고서는 회사의 영업비밀을 보호할 수 없다고 인정되는 경우에는 구체적인 전직금지약정이 없다고 하더라도 부정경쟁방지법에 따른 침해행위의 금지 또는 예방 및 이를 위하

---

314) 대법원 1996. 12. 23. 선고 96다16605 판결
315) 위 96다16605 판결

여 필요한 조치 중의 한 가지로서 그 근로자로 하여금 전직한 회사에서 영업비밀과 관련된 업무에 종사하는 것을 금지하도록 하는 조치를 취할 수 있다고 판단하였다.[316)

○ 법원은 영업비밀 침해를 방지하기 위한 전업금지기간이 문제된 사안에서, 해당 직원과 체결한 전업금지약정의 내용, 영업비밀 침해금지기간이 3년으로 인정되었으므로 전업금지기간까지 장기간으로 할 필요는 없어 보이는 점, 퇴직 후 3년의 전업금지기간은 과도한 부분이 있는 점 등에 기초하여 영업비밀 침해금지기간을 3년으로 인정하면서도 전업금지기간은 1년으로 인정하기도 하였다.[317)

○ 침해행위자가 디스플레이 관련 회사(A사)에서 기술 개발업무에 종사하다가 퇴사하면서 "퇴직일로부터 2년간 재직기간 중 지득한 영업비밀 등이 누설되거나 이용될 가능성이 있는 회사를 창업하거나 국내외 경쟁업체에 전직, 동업, 고문, 자문, 기타 협력의 지위를 가지지 않겠습니다."라는 내용이 포함된 영업비밀 등 보호서약서를 작성·제출하였는데, 위 침해행위자가 퇴직일로부터 2년이 경과하기 전에 중국에 소재한 국영 디스플레이 생산업체의 협력회사에 입사하여 근무하자 A사가 전직금지가처분을 신청한 사안에서, 법원은 위 침해행위자는 퇴직일로부터 2년간 A사의 경쟁업체인 회사 및 그 영업소, 지점, 연구소, 사업장 또는 그 계열사에 고용되어 근무하거나, 자문제공계약을 체결하는 등의 방법으로 위 회사가 수행하는 OLED 방식 디스플레이의 연구·개발업무에 종사하여서는 안

---

316) 대법원 2003. 7. 16.자 2002마4380 결정
317) 대법원 2003. 3. 14. 선고 2002다73689 판결

된다고 결정하였다.[318]

위와 같은 침해금지 또는 침해예방청구에 필요한 조치는 부정경쟁
행위 등의 경우와 마찬가지로 영업비밀의 침해를 금지하거나 예방하
는 데에 필요하고도 충분한 한도 내로 제한되어야 하고, 위 조치에
관한 청구를 인용할 것인지 여부를 결정할 때에는 그로 인하여 의무
자가 입게 되는 불이익까지도 충분히 고려하여야만 한다.

마. 침해금지 또는 침해예방청구의 시효(時效)

영업비밀 침해행위에 대한 위 침해금지 또는 침해예방청구의 경우
별도의 소멸시효 규정이 존재한다. 즉, 부정경쟁방지법 제10조 제1항
에 따라 영업비밀 침해행위의 금지 또는 예방을 청구할 수 있는 권리
는 영업비밀 침해행위가 계속되는 경우에 영업비밀 보유자가 그 침해
행위에 의하여 영업상의 이익이 침해되거나 침해될 우려가 있다는 사
실 및 침해행위자를 안 날부터 3년간 또는 그 침해행위가 시작된 날
부터 10년간 행사하지 않으면 시효(時效)로 그 권리가 소멸한다(부정경
쟁방지법 제14조).[319]

위 두 기간 중 어느 하나라도 먼저 도래하면 침해금지 또는 침해예

---

[318] 수원지방법원 2018. 7. 3.자 2018카합10106 결정
[319] 앞의 3년간은 소멸시효(아래에서 살펴볼 중단 등이 가능)로, 뒤의 10년간은 제척
기간(아래에서 살펴볼 중단 등이 불가능)으로 보아야 할 것이다.
특허청 연구자료(K2B 법률사무소), 「부정경쟁방지 및 영업비밀보호에 관한 법률
조문별 해석서」, 특허청(2008), 126쪽

방을 청구할 수 있는 권리는 소멸하게 된다. 위와 같은 소멸시효 제
도는 권리자가 권리를 행사할 수 있음에도 장기간 권리를 행사하지
않는 경우 일정한 기간의 도과에 따라 그 권리를 소멸시키는 제도이
다. 이는 권리 위에 잠자는 자는 보호받을 수 없다는 이념에 입각하
고 있다.

다만, 위와 같은 소멸시효가 진행되기 위해서는 일단 영업비밀 침
해행위가 개시되어야 하고, 또한 영업비밀 보유자가 그 침해행위에
의하여 자기의 영업상의 이익이 침해되거나 또는 침해될 우려가 있는
사실 및 침해행위자를 알아야 한다. 여기서 침해행위자 등을 안다는
것은 영업상의 이익이 침해되거나 침해될 우려가 있는 사실 및 그 침
해행위자를 현실적이고도 구체적으로 인식하는 것을 말한다.[320]

법원은 같은 이유에서 침해행위자가 다른 회사의 영업비밀을 이용
하여 유사한 제품을 생산·판매하려고 회사를 설립하였다고 하더라도
그와 같은 사정만으로는 침해행위자의 회사 설립 시점에 바로 침해행
위가 개시되었다고 단정할 수 없으므로 위 회사 설립 시로부터 바로
소멸시효가 진행되는 것으로는 볼 수 없다고 판단하였다.[321]

위 소멸시효(3년)는 청구, 압류 또는 가압류·가처분, 승인 등에 의하
여 중단된다(민법 제168조 내지 제178조). 소멸시효가 중단되면 그 시효
가 중단된 때까지 경과한 시효기간은 이를 산입하지 않고 중단사유가
종료한 때로부터 다시 시효가 새롭게 진행된다(민법 제178조 제1항). 재
판상의 청구로 인하여 중단한 시효는 재판이 확정된 때부터 새롭게

---

[320] 서울지법 남부지원 1995. 2. 22. 선고 94가합3033 판결
[321] 대법원 1996. 2. 13.자 95마594 결정

진행된다(민법 제178조 제2항). 이외에도 소멸시효의 소급효, 최고(催告) 등의 경우 소멸시효 중단의 효력, 소멸시효의 정지 등에 대해서는 민법의 관련 규정(민법 제167조 내지 제184조)이 적용되는 것으로 보아야 한다.

바. 실무적으로 고려할 부분

위 침해금지 또는 침해예방청구와 관련된 가처분, 집행 등에 대해서는 부정경쟁행위 등에 관한 부분에서 설명한 내용이 대부분 그대로 적용된다. 다만, 영업비밀 침해사건에서는 영업비밀 보유자가 그 보호대상이 되는 영업비밀을 구체적으로 주장·입증하여야 하는데, 그 과정에서 영업비밀이 제3자 등에게 공개될 위험성이 있다. 소송의 진행과정에서 법원이나 당사자 및 상대방의 법률 대리인, 관련 사무에 종사하는 직원, 법정에 있던 제3자 등이 해당 영업비밀의 내용을 알게 될 수 있기 때문이다.

상대방이 존재하는 위 침해금지 또는 침해예방청구의 특성상 영업비밀이 공개될 가능성을 완전히 배제할 수는 없겠지만, 법원 및 관계자로서는 영업비밀 침해사건의 특성을 고려하여 절차 진행이나 증거조사 과정에서 영업비밀의 공개가 최소한의 범위로만 이루어질 수 있도록 주의하여야 할 것이다.

영업비밀 보유자로서는 소송기록 중에 당사자가 가지는 영업비밀이 적혀 있는 경우에 해당한다는 점을 소명하면서 법원에 대하여 소송기록 중 비밀이 적혀 있는 부분의 열람·복사, 재판서·조서 중 비밀이 적혀 있는 부분의 정본·등본·초본의 교부를 신청할 수 있는 자를 당사자로 한정하여 줄 것을 신청할 수 있다(민사소송법 제163조 제1항).

위 신청이 있는 경우에 그 신청에 관한 재판이 확정될 때까지 제3자는 비밀 기재부분의 열람 등을 신청할 수 없다(민사소송법 제163조 제2항). 법원은 소송기록 중 당사자가 가지는 영업비밀이 적혀 있다는 소명이 있는 경우에 결정으로 위와 같은 열람·복사 등의 제한을 할 수 있고, 위와 같은 사유가 존재하지 않거나 소멸되었음이 이해관계 있는 제3자의 신청으로 소명되는 경우에는 위 열람·복사 등을 제한하는 결정을 취소할 수 있다(민사소송법 제163조 제3항). 위 열람·복사 등의 제한 신청을 기각한 결정 또는 위 취소 신청에 관한 결정에 대해서는 즉시항고를 할 수 있다(민사소송법 제163조 제4항).

2

손해배상청구

가. 손해배상청구의 요건

검은 양의 영업비밀 침해행위는 영업비밀 보유자에게 다양한 유형·무형의 손해를 발생시킨다. 그래서 부정경쟁방지법 제11조는 고의 또는 과실에 의한 영업비밀 침해행위로 영업비밀 보유자의 영업상 이익을 침해하여 손해를 입힌 자는 그 손해를 배상할 책임을 진다고 규정하고 있다.

영업비밀 침해행위에 따른 손해배상을 청구할 수 있는 사람, 즉 청구권자는 ① 고의 또는 과실에 의한 ② 영업비밀 침해행위로 ③ 영업상의 이익을 침해당하여 손해를 입은 ④ 영업비밀 보유자이다. 청구의 상대방은 영업비밀 침해행위로 영업비밀 보유자의 영업상 이익을 침해한 자(=침해행위자)가 된다. 영업상의 이익은 앞에서 침해금지 및 침해예방청구의 요건에서 설명한 내용과 같다.

위 손해배상청구를 위해서는 영업비밀 보유자가 침해행위자의 영업비밀 침해행위에 대한 고의 또는 과실을 주장·입증하여야 한다. '고의'는 자신의 행위가 영업비밀 침해행위에 해당한다는 사실을 인식하고 있는 것을 말한다. '과실'은 평균적으로 거래상 요구되는 주의의무

를 위반하여 자신의 행위가 영업비밀 침해행위에 해당함을 알지 못한 것을 말한다.[322]

손해배상청구는 '손해'를 전제로 하나, 영업비밀 침해행위의 경우 부정하게 취득한 영업비밀을 실제로 사용하였는지와 관계없이 부정취득행위 그 자체만으로 영업비밀의 경제적 가치를 손상시킴으로써 영업비밀 보유자의 이익을 침해하여 손해를 입힌 것으로 본다.[323] 손해와 침해행위자의 영업비밀 침해행위 사이에 '인과관계'가 존재하여야 하는 것은 부정경쟁행위 등에 대한 손해배상청구와 동일하다.

한편, 위 손해배상청구를 인정할 것인지에 대한 판단은 침해행위 당시를 기준으로 판단되어야 할 것이다.[324]

나. 손해액의 산정

부정경쟁방지법 제11조에 따른 손해배상청구의 요건이 갖추어졌다면 부정경쟁행위 등에 대한 손해배상청구와 마찬가지로 '손해액'을 얼마로 인정할 것인지가 실무적으로 가장 중요한 쟁점이 된다.

문제되는 손해의 유형이 ① 적극적 손해, ② 소극적 손해, ③ 위자료(정신적 손해)의 세 가지라는 점은 부정경쟁행위 등에 대한 손해배상청구와 동일하다.

---

[322] 서울고등법원 2010. 5. 10. 선고 2009라1941 판결
[323] 대법원 2011. 7. 14. 선고 2009다12528 판결
[324] 대법원 2009. 6. 25. 선고 2009다22037 판결
부정경쟁행위 등에 대한 손해배상청구와 관련된 것이나 영업비밀 침해행위에 대한 손해배상청구에서도 동일하게 적용할 수 있을 것으로 보인다.

영업비밀 침해행위에 따른 손해액을 산정하는 것도 부정경쟁행위 등의 경우와 마찬가지로 많은 현실적인 어려움이 존재한다. 그래서 부정경쟁방지법은 영업비밀 침해행위로 인한 영업비밀 보유자의 손해를 법률상 추정하는 여러 규정을 두고 있다. 아래에서 자세히 살펴보기로 한다.

다. 손해액의 추정

부정경쟁방지법상 손해액 추정 규정(부정경쟁방지법 제14조의2)에 관하여는 부정경쟁행위 등에 따른 손해배상청구 부분에서 상세히 살펴보았으므로, 그 내용을 간략하게만 다시 살펴보기로 한다.

먼저, 침해행위자가 영업비밀 침해행위를 하게 한 물건을 양도하였을 때에는 영업비밀 보유자는 손해배상(부정경쟁방지법 제11조)을 청구하면서 다음 ⓐ 및 ⓑ에 해당하는 금액의 합계액(즉, ⓐ+ⓑ)을 손해액으로 주장할 수 있다.

위 ⓐ에 해당하는 금액은, '침해행위자가 양도한 물건의 수량'에 '영업비밀 보유자가 당해 영업비밀 침해행위가 없었더라면 물건의 단위수량당 얻을 수 있었던 이익액(=단위수량당 이익액)'을 곱한 금액을 말한다(부정경쟁방지법 제14조의2 제1항 제1호). 위 ⓐ에서 물건의 양도수량을 산정함에 있어서 영업비밀 보유자에게 당해 영업비밀 침해행위 외의 사유로 상품 등을 판매할 수 없었던 사정이 있는 경우에는 해당 사유로 판매할 수 없었던 수량은 제외되어야 한다. 또한 위 ⓐ에서 물건의 양도수량은 '영업비밀 보유자가 생산할 수 있었던 물건의 수량(=생산가능 수량)에서 실제 판매한 물건의 수량(=실제판매 수량)을 뺀 수량(=판매가능 수량)'을 그 한도로 한다. '단위수량당 이익액'은 영업비밀 보유자가 그 침해가 없었다면 판매할 수 있었을 것으로 보이는 제품의 단위당 판매가격에서 그 증가되는 제품의 판매를 위하여 추가로 지불하였을 것으로 보이는 제품 단위당 비용을 공제한 금액을 말한다.[325) 주의할 점은 기준이 되는 단위수량당 이익액은 침해행위자가 아니라 침해당한 자의 이익액을 기준으로 한다는 것이다.

위 ⓑ에 해당하는 금액은, '침해행위자가 양도한 물건의 수량 중 영업비밀 보유자가 생산할 수 있었던 물건의 수량에서 실제 판매한 물건의 수량을 제외한 수량을 넘는 수량' 또는 '당해 영업비밀 침해행위 외의 사유로 판매할 수 없었던 수량'에 대해서 '영업비밀 보유자가 당해 영업비밀 침해행위가 없었다면 합리적으로 받을 수 있는 금액'을 말한다(부정경쟁방지법 제14조의2 제1항 제2호). 이는 개정 부정경쟁방지법(2020. 12. 22. 일부 개정된 것)에서 추가된 부분이다. 여기서 '당해 부정경쟁행위 등이 없었다면 합리적으로 받을 수 있는 금액'은 침해행위자가 영업비밀 침해행위가 아니라 정상적으로 영업비밀의 사용을 위해 사용료 등을 지급하였다면 영업비밀 보유자가 지급받았을 것으로 판단되는 합리적인 금액을 의미한다고 해석된다.

---

325) 서울고등법원 2016. 6. 2. 선고 2015나2009569 판결
     대법원 2006. 10. 13. 선고 2005다36830 판결에 기초하고 있다.

위 내용을 요약하여 정리하면 다음과 같다.

침해행위자가 물건을 양도한 경우의 손해액 추정

침해행위자가 양도한 물건의 수량 = ①
영업비밀 보유자가 당해 영업비밀 침해행위 외의 사유로 판매할 수 없었던
수량 = ②
영업비밀 보유자가 생산할 수 있었던 물건의 수량 – 실제 판매한 수량 = ③

ⓐ = (① – ②, 다만 ③의 수량을 최대한도로 함) × 영업비밀 보유자의
　단위수량당 이익액
ⓑ = {(① – ③) 또는 ②}에 대하여 영업비밀 보유자가 당해 영업비밀 침
　해행위가 없었다면 합리적으로 받을 수 있는 금액
　(위 '① – ③' 부분은 해당 수량이 '+'인 경우에만 적용된다)

침해행위자가 물건을 양도한 경우의 손해액 = ⓐ + ⓑ

　영업비밀 보유자는 영업비밀 침해행위에 대한 손해배상(부정경쟁방지
법 제11조)을 청구하면서 침해행위자가 영업비밀 침해행위에 의하여
이익을 얻은 것이 있으면 그 이익액을 자신의 손해액으로 주장할 수
있다(부정경쟁방지법 제14조의2 제2항). '이익액'은 부정경쟁행위 등에 따
른 손해액 산정과 마찬가지로 침해행위자의 매출액에 영업상의 이익
을 침해당한 자의 순이익률 또는 한계이익률을 곱한 금액이나 침해행
위자의 매출액에서 과세당국이 인정하는 해당 분야의 기준경비율에
매출액을 곱한 금액을 공제한 금액 등을 손해로 인정함이 타당할 것
으로 보인다.

◯ 법원은 '초코찰떡파이'라는 제품의 원재료 및 배합비 등에 관한 기

술정보의 영업비밀 침해가 문제된 사안에서, '영업상의 이익을 침해한 자가 그 침해행위에 의하여 받은 이익'이란 침해자의 영업비밀 침해행위로 인한 매출금액에서 제품의 판매를 위하여 추가로 지출하였을 것으로 보이는 필요한 변동경비 등을 공제한 금액(=한계이익)이라고 판단하였다.[326]

영업비밀 침해행위에 따른 손해배상(부정경쟁방지법 제11조)을 청구하면서 영업비밀 보유자는 영업비밀 침해행위의 대상이 된 영업비밀의 사용에 대하여 통상 받을 수 있는 금액 상당액(=통상사용료)을 자신의 손해액으로 주장할 수 있다(부정경쟁방지법 제14조의2 제3항). 해당 영업비밀의 사용료가 기존에 책정되어 있던 상황이라면 이를 참조할 수 있을 것이고, 해당 영업비밀과 같은 종류 또는 유사한 성격의 영업비밀의 사용과 관련하여 시장에 형성되어 있는 사용료 등도 참고할 수 있을 것이다.[327]

만약 영업비밀 침해행위로 인한 영업비밀 보유자의 실제 손해액이 위 통상사용료를 초과한다면 청구권자는 그 초과액에 대해서도 침해행위자에게 손해배상을 청구할 수 있다(부정경쟁방지법 제14조의2 제4항 본문). 위와 같이 실제 손해액을 인정하는 경우에 법원은 침해행위자에게 고의 또는 중대한 과실이 없다면 이를 손해액 산정 시에 고려할 수 있다(부정경쟁방지법 제14조의2 제4항 단서).

---

[326] 의정부지방법원 2011. 9. 8. 선고 2009가합7325 판결
[327] 서울중앙지방법원 2018. 11. 16. 선고 2012가합540820 판결

마지막으로, 영업비밀 침해행위에 따라 손해가 발생된 것은 인정되지만 영업비밀 보유자가 그 손해액을 입증하기 위하여 필요한 사실을 입증하는 것이 해당 사실의 성질상 극히 곤란한 경우에는 법원이 변론 전체의 취지와 증거조사의 결과 등에 기초하여 영업비밀 보유자의 상당한 손해액을 인정할 수 있다(부정경쟁방지법 제14조의2 제5항). 법원으로서는 위와 같은 손해액 산정에 있어서 그 근거가 되는 간접사실들의 탐색에 최선의 노력을 다해야 하고, 그와 같이 탐색해 낸 간접사실들을 합리적으로 평가하여 객관적으로 수긍할 수 있는 손해액을 산정해야만 한다.[328]

위 규정에 따라 법원이 변론 전체의 취지 등을 고려하여 상당한 손해액을 인정한 실제 사례들을 살펴보면 다음과 같다.

○ 법원은 물건의 일부만이 영업비밀 침해에 관계된 사안에서, 침해행위자가 물건을 제작·판매함으로써 얻은 전체 이익에 대한 영업비밀의 기여율은 전체 물건에서 영업비밀의 침해에 관계된 부분이 필수적 구성인지 여부, 기술적·경제적 가치, 전체 구성 내지 가격에서 차지하는 비율 등을 종합적으로 고려하여 정해야 한다고 설명하면서,[329] 위 사안에서 문제된 기술정보의 기술적 가치, 제품

---

[328] 서울고등법원 2020. 5. 28. 선고 2018나2068927 판결
[329] 법원은 물건의 일부가 저작재산권의 침해에 관계된 경우에 손해배상액을 산정함에 있어서는 침해자가 그 물건을 제작·판매함으로써 얻은 이익 전체를 침해행위에 의한 이익이라고 할 수는 없고, 침해자가 그 물건을 제작·판매함으로써 얻은 전체 이익에 대한 당해 저작재산권의 침해행위에 관계된 부분의 기여율(기여도)을 산정

전체 구성 내지 가격에서 차지하는 비율 등을 고려하여 위 기술정보가 내비게이션 제작·판매에 의하여 얻은 이익에 기여한 비율을 A내비게이션에서는 50%, B내비게이션에서는 40%, C내비게이션에서는 4% 정도라고 판단한 원심판결을 그대로 유지하였다.[330]

참고로, 영업비밀의 기여 부분 및 정도에 관한 사실인정이나 비율을 정하는 것은 형평의 원칙에 비추어 현저히 불합리하다고 인정되지 않는 한 사실심의 전권사항에 속한다.[331]

라. 징벌적 손해배상(부정경쟁방지법 제14조의2 제6항, 제7항)

영업비밀 침해행위가 고의적인 것으로 인정되는 경우에는 법원이 앞서 본 부정경쟁방지법 제14조의2 제1항부터 제5항까지의 규정에 따라 손해로 인정된 금액의 3배를 넘지 않는 범위에서 배상액(징벌적 손해배상액)을 정할 수 있다(부정경쟁방지법 제14조의2 제6항).

법원은 위와 같은 징벌적 손해배상액을 정할 때에 ① 침해행위자가 우월적 지위에 있었는지 여부, ② 침해행위자의 고의 또는 손해 발생의 우려를 인식한 정도, ③ 침해행위로 인하여 영업비밀 보유자가 입

하여 그에 따라 침해행위에 의한 이익액을 산출하여야 할 것이며, 그러한 기여율은 침해자가 얻은 전체 이익에 대한 저작재산권의 침해에 관계된 부분의 불가결성, 중요성, 가격비율, 양적 비율 등을 참작하여 종합적으로 평가할 수밖에 없다고 판단하고 있는데(대법원 2004. 6. 11. 선고 2002다18244 판결 등) 이를 영업비밀 침해행위에 대한 손해액의 산정에도 동일하게 적용한 것이다.

[330] 대법원 2019. 9. 10. 선고 2017다34981 판결
[331] 위 2017다34981 판결

은 피해규모, ④ 침해행위로 인하여 침해행위자가 얻은 경제적 이익, ⑤ 침해행위의 기간과 횟수 등, ⑥ 침해행위에 따른 벌금, ⑦ 침해행위자의 재산상태, ⑧ 침해행위자의 피해를 구제하기 위한 노력의 정도 등을 고려하게 된다(부정경쟁방지법 제14조의2 제7항).

마. 소송절차상의 특별규정

영업비밀 침해행위에 따른 손해배상청구소송에서도 앞서 부정경쟁행위 등에 따른 손해배상청구 부분에서 설명한 손해액 산정에 필요한 자료의 제출명령(부정경쟁방지법 제14조의3), 비밀유지명령 및 그 취소(부정경쟁방지법 제14조의4, 제14조의5) 등의 소송절차상의 특별규정이 동일하게 적용된다.

바. 다른 법률에 근거한 손해배상청구 등

침해행위자의 영업비밀 침해행위(또는 영업비밀 침해행위의 요건을 갖추지 못한 영업상 주요 자산의 무단 반출 등)의 경우에는 업무상 배임행위 등으로서 일반 불법행위(민법 제750조)를 구성하기도 한다. 이러한 때에 영업비밀 보유자로서는 부정경쟁방지법 제11조에 따른 손해배상청구가 아니라 일반 불법행위에 따른 손해배상을 청구할 수도 있다.[332] 이러한 불법행위로 인한 손해배상청구소송에서 재산적 손해의 발생사실이 인정되나 구체적인 손해의 액수를 증명하는 것이 사안의 성질상

---

[332] 울산지방법원 2017. 6. 28. 선고 2014가합19086 판결

곤란한 경우, 법원은 증거조사의 결과와 변론 전체의 취지에 의하여 밝혀진 당사자들 사이의 관계, 불법행위와 그로 인한 재산적인 손해가 발생하게 된 경위, 손해의 성격, 손해가 발생한 이후의 제반 정황 등의 관련된 모든 간접사실들을 종합하여 상당인과관계 있는 손해의 범위인 수액을 판단할 수 있다.333)

영업비밀 보유자가 침해행위자와 사이에 비밀유지계약 등 침해행위를 대비한 계약을 체결한 경우에는 침해행위자에 대하여 계약상의 채무불이행을 그 원인으로 하는 손해배상청구를 하는 것도 가능하다(민법 제390조 등).

---

333) 대법원 2012. 6. 28. 선고 2011다6700, 6717 판결

3

신용회복을 위한 조치

검은 양의 영업비밀 침해행위는 영업비밀 보유자의 영업상 신용을 실추시키기도 한다. 부정경쟁방지법은 이러한 경우를 대비하여 영업비밀 침해행위의 구제방법 중 하나로서 신용회복 청구(부정경쟁방지법 제12조)를 규정하고 있다.

위와 같은 신용회복 청구가 인정되기 위해서는 침해행위자의 ① 고의 또는 과실에 의한 ② 영업비밀 침해행위가 있어야 한다. 또한 ③ 침해행위자의 위와 같은 영업비밀 침해행위로 인하여 영업비밀 보유자의 영업상 신용이 실추되었어야 한다. 영업상의 신용이 실추되었는지 여부는 침해행위 당시를 기준으로 판단된다.

위와 같은 요건이 갖추어진 경우, 영업비밀 보유자는 침해행위자를 상대로 법원에 손해배상에 갈음하거나 손해배상과 함께 영업상의 신용을 회복하는 데에 필요한 조치를 청구할 수 있다. 부정경쟁행위 등에 따른 신용회복 청구와 마찬가지로 신용회복에 필요한 조치는 해명광고(또는 해명문)의 게재 등이 될 것이다.

4

선의자(善意者)에 대한
특례 규정

영업비밀 침해행위에 대한 침해금지 및 침해예방청구 등과 관련해서는 영업비밀 보유자의 권리 행사를 제한하는 특례 규정이 존재한다. 부정경쟁방지법 제13조(선의자에 대한 특례)가 바로 그것이다.

선의자에 대한 특례(부정경쟁방지법 제13조)는 거래에 의하여 영업비밀을 정당하게 취득한 자(=선의자)가 그 거래에 의하여 허용된 범위에서 그 영업비밀을 사용하거나 공개하는 행위에 대해서는 영업비밀 침해행위에 대한 금지청구 등(제10조), 영업비밀 침해에 대한 손해배상책임(제11조), 영업비밀 보유자의 신용회복(제12조)의 규정이 적용되지 않는다고 규정하고 있다.

즉, 영업비밀 침해행위에 해당하더라도 위와 같은 선의자의 특례가 적용되는 때에는 그에 대해서 침해금지나 침해예방청구, 손해배상청구, 신용회복 청구를 할 수 없다.

위 특례 규정에서 '영업비밀을 정당하게 취득한 자'란 부정경쟁방지법 제2조 제3호 (다)목(선의취득한 영업비밀의 악의·중과실에 의한 사용·공개행위) 또는 (바)목(선의취득한 부정공개 영업비밀의 악의·중과실에 의한 사용·공개행위)의 행위에서 영업비밀을 취득할 당시에 그 영업비밀이 부정하게 공개된 사실 또는 영업비밀의 부정취득행위나 부정공개행위가 개입된 사실을 중대한 과실 없이 알지 못하고 그 영업비밀을 취득한 자를 말한다(부정경쟁방지법 제13조 제2항). '거래에 의하여 허용된 범위에서의 사용 등'은 해당 거래(매매계약, 라이선스 계약 등)의 내용에 비추어 정당하게 취득한 것으로 인정되는 권리 범위 내의 사용 등을 의미한다고 해석된다.

'중대한 과실'은 거래에 있어서 평균적으로 요구되는 통상의 주의의무를 다하였다면 부정취득행위 또는 부정공개행위가 개입된 것을 쉽게 알 수 있었음에도 불구하고 그와 같은 주의를 현저하게 게을리 한 것을 말한다.[334]

---

[334] 특허청 발간자료(리앤아이피, 한국특허정보원, 한국지식재산보호협회), 앞의 책, 88~89쪽

5

전직금지가처분 등

    회사로서는 영업비밀에 해당하는 기술상 또는 경영상의 정보를 취급하는 직원이 경쟁사로 이직하여 동일한 업무를 수행하게 될 경우 (또는 동일한 제품 등을 생산하는 회사를 새롭게 설립할 경우) 실질적으로 영업비밀이 공개된 것과 마찬가지의 상황에 처할 수 있다. 그래서 많은 회사에서는 소속 직원들과 사이에 경업금지약정, 전직금지약정 등을 체결함으로써 직원의 퇴사 등에 따라 영업비밀이 노출되는 것을 막고자 한다.

    물론 법원은 직원(=근로자)이 전직한 회사에서 영업비밀과 관련된 업무에 종사하는 것을 금지하지 않고서는 회사의 영업비밀을 보호할 수 없다고 인정되는 경우에는 구체적인 전직금지약정이 없다고 하더라도 부정경쟁방지법 제10조 제1항에 의한 침해행위의 금지 또는 예방 및 이를 위하여 필요한 조치 중의 한 가지로서 그 직원으로 하여금 전직한 회사에서 영업비밀과 관련된 업무에 종사하는 것을 금지하도록 하는 조치를 취할 수 있다고 보고 있으므로, 전직금지약정 등이 체결되지 않은 경우라도 일정한 요건을 갖추었다면 전직금지가처분 등을 통해 같은 결과를 얻을 수는 있을 것이다.[335] 하지만 직원의 경업 또는 이직을 통해 영업비밀이 유출되는 것을 보다 명확하게 방지하기 위해서는 서면으로 경업금지약정 또는 전직금지약정을 체결하는 것이 바람직하다. 직원의 입장에서도 아무런 약정을 체결하지 않았을 때보다는 위와 같은 서면 약정을 체결하였을 때 더욱 조심하게 될 것이다.

다만, 경업금지약정이나 전직금지약정에 대해서는 헌법상의 기본권(직업의 자유) 등을 고려하여 일정한 제한이 존재한다. 법원은 "사용자와 근로자 사이에 경업금지약정이 존재한다고 하더라도, 그와 같은 약정이 헌법상 보장된 근로자의 직업선택의 자유와 근로권 등을 과도하게 제한하거나 자유로운 경쟁을 지나치게 제한하는 경우에는 민법 제103조에 정한 선량한 풍속 기타 사회질서에 반하는 법률행위로서 무효라고 보아야 한다."고 보고 있기 때문이다.[336]

또한 법원은 "경업금지약정의 유효성에 관한 판단은 보호할 가치 있는 사용자의 이익, 근로자의 퇴직 전 지위, 경업 제한의 기간·지역 및 대상 직종, 근로자에 대한 대가[337]의 제공 유무, 근로자의 퇴직 경위, 공공의 이익 및 기타 사정 등을 종합적으로 고려하여야 하고, 여기에서 말하는 '보호할 가치 있는 사용자의 이익'이라 함은 부정경쟁

---

335) 대법원 2003. 7. 16.자 2002마4380 결정
336) 대법원 2010. 3. 11. 선고 2009다82244 판결
337) 전직금지약정금 외에 OSI(On-Spot Incentive) 등 직책·직위에 따른 급여·수당, 계속적인 고용의 보장, 승진·승급, 특별한 지식 및 기술의 교육·훈련 지원 등도 전직금지약정과 대가관계에 있는 것으로 인정될 수 있다(대전고등법원 2018. 7. 19.자 2018라126 결정).

방지법 제2조 제2호에 정한 '영업비밀'뿐만 아니라 그 정도에 이르지 아니하였더라도 당해 사용자만이 가지고 있는 지식 또는 정보로서 근로자와 이를 제3자에게 누설하지 않기로 약정한 것이거나 고객관계나 영업상의 신용의 유지도 이에 해당한다."고 설명하고 있다.[338]

위와 같은 경업금지약정의 유효성 판단에 관한 기준은 실제 여러 사건들에서도 적용되고 있다.[339]

---

[338] 대법원 2010. 3. 11. 선고 2009다82244 판결
[339] 서울중앙지방법원 2012. 1. 6. 선고 2011가합59761 판결
　　　서울중앙지방법원 2013. 2. 6. 선고 2012가합75531 판결
　　　서울중앙지방법원 2013. 4. 29.자 2013카합231 결정 등

6

영업비밀 침해행위 등에
대한 형사처벌

가. 부정경쟁방지법에 따른 형사처벌

영업비밀 보유자는 부정한 이익을 얻거나 영업비밀 보유자에게 손해를 입힐 목적으로 영업비밀 취득·사용·공개 행위 등을 한 침해행위자에 대하여 형사처벌이 이루어지도록 형사 고소 등을 할 수도 있다. 어떤 경우에 영업비밀 침해행위가 형사처벌의 대상이 되는지를 구체적으로 살펴보자.

① 침해행위자가 부정한 이익을 얻거나 영업비밀 보유자에게 손해를 입힐 목적으로 ⓐ 영업비밀을 취득·사용하거나 제3자에게 누설하는 행위, ⓑ 영업비밀을 지정된 장소 밖으로 무단으로 유출하는 행위, ⓒ 영업비밀 보유자로부터 영업비밀을 삭제하거나 반환할 것을 요구받고도 이를 계속 보유하는 행위 중 하나에 해당하는 행위를 하였을 때에는 형사처벌 대상이 된다(부정경쟁방지법 제18조 제1항 제1호, 제2항). 여기서 부정한 이익을 얻을 목적은 앞에서 영업비밀의 부정한 공개·사용행위(라목) 부분에서 설명한 것처럼 공정한 경쟁의 이념에 비추어 선량한 풍속 기타 사회질서에 반하는 부당한 이익을 얻을 목적을 말한다. 침해행위자 그 스스로 부정한 이익을 얻는 경우뿐만 아니라 제

3자로 하여금 그러한 이익을 얻게 하는 경우도 포함된다. 영업비밀 보유자의 손해는 영업비밀 침해행위로 인하여 영업비밀 보유자가 입게 되는 유형·무형의 재산상·경영상의 손해를 말한다. 침해행위자에게 부정한 목적이 있었는지 여부는 침해행위자의 직업, 경력, 행위의 동기 및 경위와 수단, 방법, 그리고 영업비밀 보유자와 영업비밀을 취득한 제3자와의 관계 등 여러 사정을 종합하여 사회에서 통용되는 일반적인 상식에 비추어 합리적으로 판단하게 된다.[340]

② 침해행위자가 절취·기망·협박, 그 밖의 부정한 수단으로 영업비밀을 취득하였을 때에도 형사처벌 대상이 된다(부정경쟁방지법 제18조 제1항 제2호, 제2항). 절취(몰래 훔치는 것)·기망(거짓말로 속이는 것)·협박(신체·재산 등에 해를 가하겠다고 공포심을 일으키는 것)은 대표적인 부정한 수단을 예시한 것이고, 그 밖의 부정한 수단은 비밀유지의무의 위반 또는 그 위반의 유인 등 건전한 거래질서의 유지 내지 공정한 경쟁의 이념에 비추어 위에 열거된 범죄행위에 준하는 선량한 풍속 기타 사회질서에 반하는 일체의 행위나 수단을 의미한다고 해석된다.[341]

한편, 절취·기망·협박의 경우에는 그 내용에 따라 형법상의 절도죄(형법 제329조), 사기죄(형법 제347조), 협박죄(형법 제283조) 등이 별도로 성립할 수도 있다.

③ 침해행위자가 위 ① 또는 ②에 해당하는 행위가 개입된 사실을 알면서도 그 영업비밀을 취득하거나 사용[342]하였을 때에도 형사처벌

---

340) 대법원 2018. 7. 12. 선고 2015도464 판결
341) 서울중앙지방법원 2011. 9. 2. 선고 2010가합81341 판결
342) 부정경쟁방지법 제13조 제1항에 따라 허용된 범위에서의 사용은 제외한다.

대상이 된다(부정경쟁방지법 제18조 제1항 제3호, 제2항).

위 ① 내지 ③의 어느 하나에 해당하는 영업비밀 침해행위를 한 자는 10년 이하의 징역 또는 5억 원 이하의 벌금으로 처벌할 수 있다(부정경쟁방지법 제18조 제2항 본문). 다만, 침해행위자에 대하여 벌금형을 선고하는 경우에 그 위반행위로 인하여 침해행위자가 얻은 재산상 이득액의 10배에 해당하는 금액이 5억 원을 초과하면 침해행위자에 대하여 그 재산상 이득액의 2배 이상 10배 이하의 벌금을 선고할 수 있다(부정경쟁방지법 제18조 제2항 단서).

즉, 어떤 침해행위자가 영업비밀 침해행위로 6천만 원의 이득을 얻었다면 그 10배에 해당하는 금액이 6억 원으로 5억 원을 초과하므로, 법원은 위 침해행위자에 대하여 그 재산상 이득액의 2배 이상 10배 이하(=1억 2천만 원 이상 6억 원 이하)의 범위에서 벌금형을 선고할 수 있다.

침해행위자가 해당 영업비밀을 외국에서 사용하거나 해당 영업비밀이 외국에서 사용될 것임을 알면서도 위 ① 내지 ③에 해당하는 영업비밀 침해행위를 하였을 때에는 가중처벌 대상이 되어 침해행위자는 15년 이하의 징역 또는 15억 원 이하의 벌금에 처해질 수 있다. 벌금형을 선고하는 경우에는 앞서 본 것과 마찬가지로 그 위반행위로 인한 재산상 이득액의 10배에 해당하는 금액이 15억 원을 초과하면 그 재산상 이득액의 2배 이상 10배 이하의 벌금으로 처벌할 수도 있다(부정경쟁방지법 제18조 제1항).

참고로, 법원은 영업비밀 침해행위로 기소된 피고인들 일부가 영업비밀임을 자백(=인정)한 사안에서 어떠한 정보가 영업비밀인지 여부는

법적 판단 내지 평가에 해당하는 것이므로, 피고인들 중 일부가 영업
비밀이라는 점을 자백하였다고 하더라도 법원이 여전히 영업비밀에
해당하지 않는다는 판단을 할 수 있다고 판시하였다.[343]

영업비밀 침해행위에 대해서도 대법원 양형위원회의 양형기준이 존
재하므로, 개별 사안에서 다음과 같은 가중·감경 요소들을 고려하여
최종적인 형량이 정해지게 된다.[344]

구 분		감경요소	가중요소
특별 양형 인자	행위	– 실제 피해가 경미한 경우 – 범행가담/범행동기에 특히 참작할 사유가 있는 경우 – 영업비밀이 외부로 유출되지 않고 회수된 경우	– 계획적·조직적 범행 – 피해자에게 심각한 피해를 초래한 경우 – 산업기술의 유출방지 및 보호에 관한 법률[345]상의 산업기술 또는 국가·사회적으로 파급효과가 큰 영업비밀에 관한 범행
	행위자 / 기타	– 농아자 – 심신미약(본인 책임 없음) – 자수 – 처벌불원(피해 회복을 위한 진지한 노력 포함)	– 동종, 누범 – 비밀유지에 대한 특별한 의무가 있는 자

---

343) 의정부지방법원 고양지원 2017. 7. 14. 선고 2015고단3315 판결
344) "영업비밀 침해행위 양형기준", 양형위원회 홈페이지, 2021년 3월 9일 접속
   https://sc.scourt.go.kr/sc/krsc/criterion/criterion_43/intellectual_property_01.jsp
345) 이하 '산업기술보호법'이라고 한다.

구 분		감경요소	가중요소
일반 양형 인자	행위	– 소극 가담 – 영업비밀의 관리를 소홀히 　한 경우	– 유출된 영업비밀이 실제로 사 　용된 경우 – 피해규모가 큰 경우 – 취득·사용한 영업비밀을 누설한 　경우 – 범행으로 인한 경제적 이익을 　얻은 경우
	행위자 / 기타	– 진지한 반성 – 피해 회복을 위한 노력 – 형사처벌 전력 없음.	– 동종 전과 　(집행 종료 후 10년 미만)

한편, 영업비밀 침해행위(부정경쟁방지법 제18조 제1항, 제2항)로 처벌하는 경우에는 해당 벌칙 규정에서 정하고 있는 징역과 벌금을 병과(倂科, 동시에 부과)할 수 있다(부정경쟁방지법 제18조 제5항).

영업비밀 침해에 대한 형사처벌의 경우 미수(未遂)나 예비·음모의 경우에도 처벌하는 규정을 두고 있다(부정경쟁방지법 제18조의2, 제18조의3). 따라서 영업비밀 침해행위의 실행에 착수하였으나 그 행위를 종료하지 못하였거나 결과가 발생하지 않은 경우에도 미수범으로 처벌된다. 다만, 미수범의 형은 기수범(행위를 종료하였거나 결과가 발생한 경우)의 형보다 감경될 수 있다(형법 제25조 제2항).

○ 법원은 영업비밀 부정사용죄에 있어서 행위자가 해당 영업비밀과 관계된 영업활동에 이용 또는 활용할 의사 아래 그 영업활동에 근

접한 시기에 영업비밀을 열람하는 행위(영업비밀이 전자파일의 형태인 경우에는 저장의 단계를 넘어서 해당 전자파일을 실행하는 행위)를 하였다면 영업비밀 부정사용죄의 실행의 착수가 있었다고 보아야 한다고 판단하였다.[346)]

예비·음모죄에서 '예비'는 영업비밀을 침해하기 위해 행하는 준비행위를 말하고, '음모'는 2인 이상의 사이에서 행하여지는 영업비밀 침해를 하기 위한 모의를 말한다.[347)] 일반적인 영업비밀 침해행위(부정경쟁방지법 제18조 제2항의 침해행위)를 범할 목적으로 예비 또는 음모한 자는 2년 이하의 징역 또는 2천만 원 이하의 벌금에 처할 수 있으나, 외국에서의 사용 등을 전제로 한 영업비밀 침해행위(부정경쟁방지법 제18조 제1항)를 범할 목적으로 예비 또는 음모한 자는 3년 이하의 징역 또는 3천만 원 이하의 벌금에 처할 수 있다(부정경쟁방지법 제18조의3).

○ 법원은 부정경쟁방지법 제18조의3 제1항 소정의 예비죄가 성립하기 위해서는, 같은 법 제18조 제1항의 죄를 범할 목적 외에도 영업비밀 해외 유출행위의 준비행위에 대한 고의가 있어야 하고, 나아가 실행의 착수까지에는 이르지 않는 영업비밀 해외 유출행위의 실현을 위한 객관적인 준비행위가 있어야 하며, 그 준비행위는 객

346) 대법원 2009. 10. 15. 선고 2008도9433 판결
347) 허인 외 5인 공저, 「지식재산제도의 실효성 제고를 위한 법제도 기초연구 - 부정경쟁방지 및 영업비밀보호에 관한 법률」, 인프라 기초연구과제 최종보고서, 특허청/한국지식재산연구원(2014), 418~419쪽

관적으로 보아 범죄의 실행을 위한 준비행위라는 것이 명백히 인식될 정도에 이르러야 한다고 판단하였다.[348]

영업비밀 침해행위와 관련해서도 양벌규정이 존재한다. 이에 따라 법인의 대표자나 법인 또는 개인의 대리인, 사용인, 그 밖의 종업원이 그 법인 또는 개인의 업무에 관하여 영업비밀 침해행위를 한 경우에는 그 행위자를 벌하는 외에 그 법인 또는 개인에게도 해당 조문의 벌금형(3천만 원 이하의 벌금)이 부과된다. 다만, 법인 또는 개인이 그 위반행위를 방지하기 위하여 해당 업무에 관하여 상당한 주의와 감독을 게을리하지 않은 경우에는 예외로 한다(부정경쟁방지법 제19조 단서 부분).

앞에서도 설명한 것처럼, 법인 등이 상당한 주의 또는 관리·감독을 게을리하였는지 여부는 해당 위반행위와 관련된 모든 사정, 즉 해당 법률의 입법 취지, 처벌조항 위반으로 예상되는 법익 침해의 정도, 위반행위에 관하여 양벌규정을 마련한 취지 등은 물론 위반행위의 구체적인 모습과 그로 인하여 실제 야기된 피해 또는 결과의 정도, 법인 등의 영업 규모 및 행위자에 대한 감독가능성이나 구체적인 지휘·감독 관계, 법인이 위반행위 방지를 위하여 실제 행한 조치 등을 전체적으로 종합하여 판단하게 된다.[349]

---

348) 수원지방법원 2015. 2. 6. 선고 2012고단1870, 3136(병합) 판결
349) 대법원 2018. 7. 12. 선고 2015도464 판결

나. 다른 법령에 따른 형사처벌

먼저, 영업비밀 침해행위를 구성하는 절취·기망·협박의 경우에는 그 내용에 따라 형법상의 절도죄(형법 제329조), 사기죄(형법 제347조), 협박죄(형법 제283조) 등의 범죄가 별도로 성립할 수 있다는 점은 앞서 살펴본 바와 같다.

또한 회사 임직원이 영업비밀을 경쟁업체에 유출하거나 스스로의 이익을 위하여 이용할 목적으로 무단으로 반출한 경우 형법상의 업무상배임죄(형법 제356조, 제355조 제2항)가 성립할 수 있다.350) 법원 역시 위와 같은 경우에 그 영업비밀의 반출 시에 업무상배임죄의 기수(범죄행위의 종료)가 된 것으로 보고 있다. 영업비밀이 아니라고 하더라도 해당 자료가 불특정 다수의 사람에게 공개되지 않았고 사용자가 상당한 시간, 노력 및 비용을 들여 제작한 영업상 주요한 자산이라면 그 자료의 반출행위는 업무상배임죄를 구성한다. 나아가 회사 임직원이 영업비밀이나 영업상 주요한 자산인 자료를 적법하게 반출하여 그 반출행위가 업무상배임죄에 해당하지 않는 경우에도 퇴사 시에 회사에 반환하거나 폐기할 의무를 부담하는 영업비밀 등을 경쟁업체에 유출하거나 스스로의 이익을 위하여 이용할 목적으로 이를 반환하거나 폐기하지 않았다면 이러한 행위 역시 업무상배임죄에 해당한다.351)

---

350) 대법원 1999. 3. 12. 선고 98도4704 판결
  같은 사안에서 법원은 기업의 영업비밀을 사외로 유출하지 않을 것을 서약한 회사의 직원이 경제적인 대가를 얻기 위하여 경쟁업체에 영업비밀을 유출하는 행위는 피해자와의 신임관계를 저버리는 행위로서 업무상배임죄를 구성한다고 판단하였다.
351) 대법원 2009. 10. 15. 선고 2008도9433 판결

한편, 업무상배임죄는 재산범죄로서 그 이익액에 따라 특별형법이 적용될 수도 있는데, 법원은 영업비밀을 취득함으로써 얻는 이익은 그 영업비밀이 가지는 재산가치 상당이고, 그 재산가치는 그 영업비밀을 가지고 경쟁사 등 다른 업체에서 제품을 만들 경우, 그 영업비밀로 인하여 기술개발에 소요되는 비용이 감소되는 경우의 그 감소분 상당과 나아가 그 영업비밀을 이용하여 제품생산에까지 발전시킬 경우 제품판매이익 중 그 영업비밀이 제공되지 않았을 경우의 차액 상당으로서 그러한 가치를 감안하여 시장경제원리에 의하여 형성될 시장교환가격이라고 설명하고 있다.[352]

이외에도 산업기술보호법은 절취·기망·협박 그 밖의 부정한 방법으로 대상기관의 산업기술을 취득하는 행위 등을 형사처벌하는 규정을 두고 있고(산업기술보호법 제36조), 하도급법은 기술자료 제공 요구 금지 규정을 위반한 원사업자를 수급사업자에게 제조 등의 위탁을 한 하도급대금의 2배에 상당하는 금액 이하의 벌금에 처할 수 있도록 하는 규정을 두고 있다(하도급법 제30조 제1항 제1호). 상생협력법의 경우에도 타인의 기술자료를 절취 등의 부정한 방법으로 입수하여 기술자료 임치등록을 한 자를 형사처벌하는 규정을 두고 있다(상생협력법 제41조 제1항).

---

[352] 대법원 1999. 3. 12. 선고 98도4704 판결

7

영업비밀 침해행위의 구제와
관련하여 실무적으로 유의할 부분

영업비밀 보유자가 위에서 살펴본 침해금지 및 침해예방청구 등을 통해 권리를 구제받기 위해서는 검은 양이 영업비밀 침해행위를 하였음을 구체적으로 주장·입증하여야 한다. 그런데 상품표지의 사용 등을 통해 외부적으로 확인되는 부정경쟁행위와는 달리 영업비밀의 무단 유출 등은 훨씬 더 은밀하게 이루어지는 것이 보통이므로 영업비밀 보유자가 소송 등에 필요한 증거를 자체적으로 확보하는 것이 결코 쉽지 않다.

특히, 최근에는 영업비밀이 전자파일 등과 같은 디지털(digital) 형식으로 생성, 변경, 이전, 소멸되는 것이 보통이므로, 디지털 증거가 영업비밀 침해행위의 입증에 결정적인 역할을 하게 된다. 그리고 서버나 저장매체 등에 디지털 데이터의 형식으로 존재하는 디지털 증거의 특성상 이를 분석하여 영업비밀 침해행위와 관련된 사실관계를 증명하기 위해서는 '디지털 포렌식(digital forensics)'[353]이 불가피하다.

디지털 포렌식은 침해행위자의 컴퓨터 등을 확보하거나 회사 서버

---

[353] 디지털 기기(컴퓨터, 휴대폰 등)를 매체로 하는 증거를 법정에서 사용하기 위해 행하는 보존, 인지, 추출, 문서화 등의 절차·방법을 말한다.

등을 분석하여 디지털 데이터의 생성, 변경, 복사, 전송, 삭제 등의 이력을 확인하거나 서버 등에의 접속기록, 특정 정보의 검색·열람 이력, 특정 프로그램의 설치 및 실행 이력 등을 확인하는 방식으로 이루어진다. 실무적으로는 영업비밀 침해행위가 발견되었을 때 해당 침해행위자의 컴퓨터를 확보하고 영업비밀이 보관되어 있던 저장매체, 서버나 네트워크의 로그(log) 파일 등을 확인하여 보존하는 등의 절차가 선행되어야 할 것이다.

다만, 영업비밀 보유자가 위와 같은 디지털 포렌식을 실시할 만한 기술이나 장비, 인력을 갖추고 있는 경우는 매우 드물다. 또한 영업비밀 보유자가 관련 기술이나 증거보전 절차에 대한 충분한 이해 없이 자체적으로 디지털 증거의 확보를 위해 침해행위자의 컴퓨터 등을 확인하게 될 경우 그 과정에서 파일의 정보 등이 변경되어 디지털 데이터의 무결성(integrity)이 파괴될 수 있다.[354]

이에 특허청은 최근(2021. 3. 25.) 아래와 같이 영업비밀 유출 피해기업의 디지털 포렌식을 지원하는 사업을 새롭게 추진한다고 발표하였다. 따라서 영업비밀 침해를 당한 회사 등으로서는 아래와 같은 지원사업[355]을 적극적으로 활용할 필요가 있어 보인다.

---

[354] 이에 관한 구체적인 내용에 대해서는 김도형, 「영업비밀 관련 분쟁 해결의 제문제」, 서울대학교 기술과 법 센터(2015년 3월), 69~71쪽의 내용을 참고할 수 있다.

[355] 아래는 신청기간을 2021. 3. 25.부터 2021. 12. 31.까지로 하는 지원사업의 모집공고이다. 실제 지원사업 신청에 있어서는 해당 연도의 모집공고 등을 영업비밀보호센터 홈페이지(www.tradesecret.or.kr)에서 확인하여야 할 것이다.

특허청 영업비밀 유출 피해기업 디지털 포렌식 지원사업의 내용[356]

〈지원대상〉
- (대상/규모) 영업비밀 유출 피해가 의심되어 증거확보가 필요한 중소기업 및 개인사업자
- 연간 90개 사건 전액 무료 지원
  (한도) 영업비밀 유출사건 당 최대 10개 기기
  (한정) 신청기업이 소유권을 확보한 디지털기기

〈지원내용〉
- (주요내용) 영업비밀 유출피해 기업의 정보기기를 대상으로 사전상담 및 증거수집·분석에 따른 결과 보고서 제공

구 분	주요 내용
영업비밀 유출 피해 상담	영업비밀 유출피해에 대한 법적구제 가능성 디지털 포렌식 지원 가능 범위 협의
디지털 증거 수집	적법절차에 따라 디지털 증거 수집 기업 직접 제출 또는 디지털 증거 현장 수집·이송
디지털 증거 분석	영업비밀 유출피해 입증과 관련된 디지털 증거자료 분석 분석 결과에 대한 교차 검증 실시
디지털 포렌식 보고서 제공	분석 내용에 대한 적절성 검토 수집·분석 결과에 대한 보고서 제공

- (분석대상) 영업비밀 유출 관련 업무용 PC, 저장매체, 스마트폰 등

〈지원절차〉

1. 신청접수	2. 사전준비	3. 증거수집	4. 증거이송	5. 증거분석	6. 결과제공
신청서 작성 및 신청접수 유출피해 상담	법률적 검토 조사대상 확인 지원계획 수립	현장 대응 증거물 수집 이미지 생성 수집확인서 교부	증거포장, 봉인, 증거이력관리	영업비밀 유출행위 분석	분석 보고서 전달
기업↔센터	기업↔센터	센터↔기업	센터	센터	센터↔기업

영업비밀 보유자의 입장에서는 위와 같은 사후적 절차 외에 영업비밀 침해행위가 발생하기 전부터 관련 디지털 증거를 지속적으로 수집·확보하여 둘 필요가 있다. 이를 위해서는 임직원에게 아이디 및 패스워드를 부여하여 전자파일 등 디지털 데이터에의 접속이력을 보존·관리하는 방법, 출입통제시스템을 활용하여 출입기록을 보존·관리하는 방법 등을 활용할 수 있을 것이다.

---

356) "보도자료", 특허청 홈페이지, 2021년 3월 26일 접속
    https://www.kipo.go.kr/kpo/BoardApp/UnewPress1App?a=&board_id=press&cp=&pg=
    &npp=&catmenu=m03_05_01&bunryu=&c=1003&seq=18824&st=

부 록

영업비밀 관리·보호와 관련하여
참고할 만한 자료 및 웹사이트

　영업비밀의 관리·보호를 위해서는 비밀유지계약서, 교육이수확인서, 영업비밀 관리규정 등의 다양한 계약문서와 서식이 사용된다. 이러한 영업비밀과 관련된 각종 서식 등을 참고할 수 있는 자료, 웹사이트 등을 소개하면 다음과 같다.

　다만, 영업비밀 및 그 보유자의 개별적인 특성에 따라서는 일률적으로 표준계약서, 표준서식의 내용을 따르기보다는 위와 같은 개별적·구체적인 특성을 고려한 계약문서, 서식 등을 작성하여야 할 경우가 있음을 유의하여야 한다.

꼭 알아야 할 영업비밀 관리 표준서식 활용 가이드

- 주관기관: 한국특허정보원 영업비밀 보호센터
- 집필기관: 법무법인 다래
- 발행처: 특허청 산업재산보호정책과

- 발행일: 2016년 6월
- 특징: 표준서식의 활용에 대한 일반적인 가이드라인과 함께 비밀유지서약서 등 내부 관계용 표준서식, 기술(노하우)이전계약서 등 외부 관계용 표준서식, 영업비밀 관리규정, 시스템 보안 규정 등의 영업비밀 보호규정 등을 방대하게 제공하고 있다. 각 표준서식에 대한 해설도 제공하고 있다.
- 특허청 홈페이지(www.kipo.go.kr)의 '책자/통계' → '간행물' → '기타 정보' 메뉴에서 다운로드 받을 수 있다.

영업비밀 관리 매뉴얼 제1편 영업비밀 실무편 - 영업비밀의 이론적 이해

- 발행처: 특허청 산업재산보호팀
- 발행일: 2011년 12월
- 특징: 영업비밀의 개념과 영업비밀 침해행위의 유형, 영업비밀 침해행위에 대한 대응 방법 등을 소개하고 있다.
- 특허청 홈페이지(www.kipo.go.kr)의 '책자/통계' → '간행물' → '기타 정보' 메뉴에서 다운로드 받을 수 있다.

영업비밀 관리 매뉴얼 제2편 영업비밀 실무편 - 영업비밀 관리실무

- 발행처: 특허청 산업재산보호팀
- 발행일: 2011년 12월
- 특징: 영업비밀 관리를 위해 회사 등에서 어떤 식으로 영업비밀을 파악하고 어떤 구체적 대책을 실시하여야 하는지에 대한 가이드라

인을 제시하고 있다. 영업비밀 관리현황 체크시트, 퇴사 시 반납서, 프로젝트용 영업비밀 서약서 등 각종 서식도 포함되어 있다.

- 특허청 홈페이지(www.kipo.go.kr)의 '책자/통계' → '간행물' → '기타 정보' 메뉴에서 다운로드 받을 수 있다.

영업비밀 보호센터 홈페이지

- URL: www.tradesecret.or.kr
- 특징: 특허청에서 운영하고 있는 웹사이트로 영업비밀과 관련된 법령 및 분쟁 정보, 국내 및 외국 판례, 영업비밀의 교육, 컨설팅 등과 관련된 지원사업 안내, 원본증명서비스, 기타 영업비밀과 관련된 세미나, 표준서식 안내 등의 서비스를 제공하고 있다. 영업비밀과 관련된 판례 등을 정기적으로 정리하여 공유하는 뉴스레터도 운영하고 있다.

〈홈페이지 메뉴화면〉

산업재산 침해 및 부정경쟁행위 신고센터

- URL: www.ippolice.go.kr
- 특징: 산업재산 침해(영업비밀 침해 포함)와 부정경쟁행위에 대한 신고 절차 등을 소개하고 있다. 문제되는 행위별로 고소장 서식 등도 제공하고 있다.

〈홈페이지 메뉴화면〉

기타 웹사이트 등

- 특허청: www.kipo.go.kr
- 산업통상자원부: www.motie.go.kr
- 중소벤처기업부: www.mss.go.kr
- 한국산업기술보호협회: www.kaits.or.kr
- 기술자료임치센터: www.kescrow.or.kr
- 중소기업 기술보호울타리: www.ultari.go.kr
- 한국지식재산보호원: www.koipa.re.kr
- 공익변리사 특허상담센터: www.pcc.or.kr

변호사 **박상오**

저자는 2013년 제2회 변호사시험에 합격한 후 현재 국내 주요 로펌 중 하나인 법무법인(유한) 바른의 상사기업송무그룹에서 구성원(파트너) 변호사로 근무하고 있다. 저자는 오래전부터 콘텐츠 산업에 관심을 갖고, 미국 UCLA에서도 Media, Entertainment, and Technology Law and Policy를 전공하였을 뿐만 아니라, 시스템 개발 관련 소송이나 라이선스 관련 분쟁, 연예인이나 크리에이터의 전속계약(가입계약) 관련 분쟁 등 지식재산권 및 엔터테인먼트 분야와 관련된 각종 소송·자문을 수행하였다.

또한 저자는 일본과 미국(뉴욕주 변호사시험 합격)에서 유학한 경험을 활용하여 국내 투자 관련 자문 및 해외 투자에 관한 외국환거래법 관련 자문, 일본 출입국 관련 자문 등을 수행하였고, 일본 클라이언트들에게 'Korea Legal Updates'라는 뉴스레터(일본어판)를 제작하여 제공하고 있다. 이외에도 저자는 '파생금융상품(KIKO) 관련 손해배상청구소송', '턴키방식 대규모 전시장 건립공사 관련 공사대금청구소송', '부동산 PF사업 관련 협의회의결 취소소송', '종교단체(조계종)의 징계처분에 대한 무효확인소송', '기업집단의 계열사 간 지원 등 관련 특정경제범죄법 위반(업무상 횡령·배임) 사건', '공모절차(입찰) 관련 사업협약체결금지 가처분 사건' 등 다양한 분야의 소송·자문 사건을 수행하였다.

저자가 집필한 다른 실무서나 연구논문으로는 「유튜브 크리에이터 법률상식」(삼일인포마인, 2020), 「키코(KIKO) 소송의 쟁점 및 대법원 전원합의체 판결의 해석에 관하여」(바른 금융보험법연구, 2016) 등이 있다.